moi, ovide leblanc, j'ai pour mon dire

Maquette de la couverture: Jacques Léveillé.

Photo de la couverture: Michel Poitevin
Tous droits de reproduction réservés

ISBN 0-7761-3023-4

© Copyright Ottawa 1976 par les Éditions Leméac Inc.
Dépôt légal — Bibliothèque nationale du Québec
4e trimestre 1976

moi, ovide leblanc, j'ai pour mon dire

bertrand b. leblanc

LEMÉAC

DU MÊME AUTEUR

BASEBALL-MONTRÉAL.
Montréal, Éditions du Jour, 1968.

LE GUIDE DU CHASSEUR.
Montréal, Éditions du Jour, 1970.

HORACE OU L'ART DE PORTER LA REDINGOTE.
Montréal, Éditions du Jour, 1974.

Je dédie ce livre à Paula,
ma mère, mon amie.

Ovide Leblanc, le héros de ce roman, a réelle-
ment existé. Il a vécu dans la vallée de la Matapédia. Et c'est lui qui parle par la plume de l'auteur. Nous avons donc conservé toute la couleur
du parler gaspésien.

L'Éditeur

PROLOGUE

Si vous passez dans la Gaspésie (ça peut vous arriver d'en faire le tour comme tout le monde), vous allez remarquer que dans la Baie, quasiment tout le long, t'as une place française, une place anglaise, surtout à partir de Grand-Cascapédia jusqu'à Gaspé. Sur le côté nord, pas une. Les Anglais, vois-tu, je les ai toujours trouvés frileux: ça fait que dans le golfe, y ont pas forcé. Y se sont cabanés dans la Baie. Je dis jamais la Baie-des-Chaleurs, remarque ben, parce que Jacques Cartier devait en avoir des chaleurs quand y a baptisé ça de même, lui. Si y était passé par icitte dans les alentours du quinze janvier en shoe-claques, y se serait dépêché à y trouver un autre nom, je t'en passe un papier. Pour revenir à nos places, t'as pas besoin de watcher les annonces de la voirie pour reconnaître les places anglaises. Là où les petites maisons sont ben peinturées, les clôtures ben

9

drettes, la pelouse en avant, pis les fleurs : c'est les places anglaises. Les autres : c'est les canayennes.

C'est curieux pareil qu'y ait tant d'Anglais en Gaspésie. On dirait quasiment pas que c'est Cartier qui a trouvé ça, mais plutôt un *bloke*. Ça s'explique un peu, qu'y paraît, par les naufrages. Ceux qui en réchappaient ressoudaient au bord avec les échoueries. Y repartaient pas à la nage pour les vieux pays, ben craire ; y s'installaient du mieux qu'y pouvaient, apprenaient la pêche, pis la culture un peu, pis prenaient racines. Y a eu les Jersais qui sont venus à pleins bateaux itou. Tiens, le père Sam Delahaye qui avait un moulin à lattes à Rivière-à-Marte, c'en était un. Ça, les Jersais, ou ben les Jersay, si tu veux, ça venait des vieux pays, dans le bout de l'Angleterre ; pis c'est curieux, même avec des noms ben français assez souvent, y parlaient pas un traître mot français.

Y se sont installés comme ça, le long de la côte, pis y ont multiplié jusqu'à temps de faire des petits villages avec leurs petites écoles, pis leurs petites mitaines. Jamais de grosses églises comme les canayens ; ça, c'est une autre remarque pour les places anglaises : toujours une petite mitaine en bois, ben propre par exemple. Y avaient pas les moyens, manquablement. Ça les a pas empêchés de prendre le contrôle aussi ben dans le bois que sur la mer. Prends les Robin, à peu près tout le poisson qui se démaillait dans la Gaspésie, leur passait dans les mains, un temps. Quant au bois, on en parle même pas.

10

Y ont ramassé à peu près toutes les limites à bois de la Gaspésie. Y avaient l'accoutumance : quasiment tout le reste de la province était à eux autres itou. Y ont eu ça pour une bouchée de pain, parce qu'y paraît que dans le temps, faire des affaires, pis brasser de la grosse argent, c'était pas catholique le diable. Les curés, pis les évêques encore plus, forçaient sur la colonisation, pis les habitants. Faut les comprendre, c'étaient quasiment tout le temps des gars d'habitants eux autres même, pis aimaient terriblement la terre même si y étaient ben instruits. Tu sais, des curés Labelle, y en a pas eu rien que dans les pays d'en-haut, y en a eu dans les pays d'en-bas aussi. Mais, le curé Labelle, était assez gros, qu'y a pris toute la place dans l'idée du monde. Menés comme ça, on s'est occupé à défricher le long de la côte, tout en poignant du poisson pour Robin à travers de ça. Y en a comme moi, qui ont pris le bord du bois. C'est pas parce qu'on avait pas le pied marin, non : mais passer des grands hivers à fumer la pipe en se berçant, on s'ennuyait. Fallait qu'on s'occupe, qu'on bardasse tout le temps un petit peu, pour pas trouver le temps trop long. Ça fait qu'on poignait les *jobs* que les grosses compagnies nous donnaient dans le bois ou ben dans les *shops*.

En faisant le tour, tu vas remarquer à part de ça. Y en a comme moi, qui ont pris le bord pas français par icitte. C'est des Anglais. Y ont jamais voulu apprendre le français. Y comprennent un peu, malgré eux autres : ça peut pas se faire autrement, y sont quasiment neyés dans les Français, mais y le parlent pas pareil. C'est-y parce qu'y ont la tête dure ? Je le sais pas... Y se tiennent leur petite gang ensemble, pis y se badrent pas des canayens. Mais à un moment donné, veux, veux pas, y en a qui sautent la clôture, pis se mettent à courtiser les petites canayennes. Tout le monde sait que nos créatures, pis les leurs, ça se compare pas pantoute. Y sont pas tout à fait fous, pis aveugles, la Viarge ! De temps en temps, y viennent à bout de nous en sweaper une. Mais de ce côté-là, vous pouvez dormir tranquilles. D'abord y sont pas assez, pis à part de ça, un bon matin, y se réveillent en français, malgré eux autres. La Canayenne... C'est un jardin que les curés ont watché de proche. Y ont jamais slaqué un pouce. *O.K. my friend,* tu veux marier la petite Dugas ? On n'aime pas ça plus qu'y faut, mais étant donné qu'on est pas des sauvages, on va te quitter faire. Mais d'abord, si t'es pas Irlandais, fais-toi catholique au plus sacrant, parce que nos filles, si ça leur arrive de marier une mitaine, y la marient jamais dans une mitaine. Pis les petits : à l'école catholique pis baptisés à l'église, s'il vous plaît. *« Take it or leave it »*. Y disent oui à tout coup, tu comprends. Pis à part de ça, c'est eux autres qui se font attraper, crains pas la glace : un bon matin, y parlent quasiment plus anglais, pis les enfants pantoute.

Veux-tu avoir la preuve que ces mariages mixes-là comme disaient les curés, ça mixait jamais en anglais? Arrête à Cap-des-Rosiers, (en même temps, tu pourras faire un petit tour dans le Parc Forillon), pis promène-toi dans la place. Regarde pas rien que le golfe, la grève, les mouettes, les montagnes, pis les petites mères en *bathing suits.* Jette un coup d'œil sur les boîtes à malle itou. Tu vas quasiment te croire à Toronto: Gleeton, Packwood, Ascah, Robinson, Miller, Mullen, Henley, Perry, Reeves, Synnott, pis j'en passe la moitié, plus. Mais c'est pas toute: parle leu en anglais pour le *fun..* Tu vas en tomber sur le cul: les trois quarts en parlent pas un maudit mot. C'est ben juste pour faire fouler ton char, pis avoir un *hot dog* en anglais. Tout ça pour te dire que la loi 22, ça vaut pas le cul. Y a pas une maudite loi qui va faire un canayen avec un *bloke.* La seule affaire qui a réussi ça jusqu'icitte, c'est nos petites mères. Lâche-les après les Anglais, y vont te leur montrer, le français dans une génération, pis leur faire oublier l'anglais dans l'autre. C'est de même que tu l'auras ton français langue de travail, parce que c'est la langue du *bed* qui décide ça. Seulement, demande pas aux fanals à l'huile qui nous éclairent à Québec de comprendre ça. Penses-tu? Depuis le temps qu'y font le tour de la Gaspésie, si y avaient voulu comprendre, ça serait fait depuis belle lurette.

Non, nous autres, les Anglais, on gueule ben manque après comme ça, mais on s'arrange ben avec. Ah! on les invite pas au réveillon de la Minuit, mais on chumme avec eux autres de temps en temps, pis on les trouve pas pires que

13

ben d'autres. Mais que veux-tu, pendant cent ans on leur a tout donné ce qu'y voulaient, pis même ce qu'y voulaient pas. C'est pour ça qu'aujourd'hui, y sont un petit peu rétifs, quand tu veux leur ôter. Mais, moi en parsonne, la plupart des Anglais que j'ai connus, j'ai trouvé que c'étaient des *gentlemen.* Dans la gang, c'est comme dans toute race, j'ai connu des enfants de chienne. Le gérant de la Bathurst quand j'ai commencé avec eux autres, par exemple : un mange-canayens, la Viarge! Si y avait un trou sale, une place dangereuse, un tue-monde, c'est là qu'y fourrait un canayen. Pis tu pouvais y lire dans la face que ça faisait son affaire à part de ça. Si tu y avais vu la fraise : figure indigne, face d'antéchrist! Tu y contais une histoire pour faire rire les roches, y te faisait une manière de petit sourire serré, moitié grimace, te montrait un croc. T'aurais juré qu'y avait la gueule empesée comme le faux col à défunt grand-père. Lui, j'aurais pas fait de noces avec, tu peux être ben certain. Non! Si y avait tombé à l'eau devant moi, j'y aurais peut-être ben présenté une *pole,* mais je me serais amanché pour y échapper la picaroune entre les deux oreilles, en pésant dessus un petit peu…, mine de rien.

Mais, j'ai connu des *fine* gars : Basten, Catley, Richardson, East, Farrell, Fearon, Thompson. Jim Thompson : ça, mes amis, c'était un monsieur d'homme dans la force du mot : un garçon curé, s'il vous plaît, catholique pareil comme toi pis moi. Charlie Veidt itou : un *gentleman.* Toujours checké comme un minisse, la chemise blanche, la cravate dans le cou, le *coat* sur le dos quand ben même y aurait fait cent degrés à l'ombre. Y parlait français, d'après moi mieux que nous autres; tiens, pas mal comme les Français de l'autre bord. Poli comme un chien d'évêque à part de ça. Je me rappelle un coup, y était descendu à Cascapédia avec Ludger, pour acheter du bois de sciage. Y étaient arrivés à peu près vers un heure. La table était ôtée, ben entendu... Ludger demande au *cook:*

— Peux-tu nous servir à dîner?

— Ben entendu, monsieur Leblanc, que le *cook* dit.

Pis, y décolle pour ses chaudrons. Tu comprends, dans le bois, quand on était vingt hommes, le *cook* en faisait pour trente. On engraissait quinze, vingt cochons gras dur à fendre avec l'ongle, rien qu'avec les restants de la table. Ça fait que ce coup-là, plutôt que de les donner aux cochons....

Toujours que cinq, dix minutes après, le *cook* revient *back*. Ludger pis Charlie étaient assis sur la galerie. Y attendaient là. Y faisait justement une journée de chaleur étouffante, pas moins que quatre-vingt-dix, pis pas un petit air de vent. Le *cook* dit à Ludger qu'y a mis la soupe à chauffer, le thé à bouillir, pis y demande ce qu'y voudrait manger. Ludger regarde Charlie pis dit:

— Toi, Charlie, qu'est-ce que tu mangerais?

— Oh! monsieur Leblanc, je suis pas difficile, n'importe quoi fera l'affaire. Mais pendant tout ce temps-là, lui, y regarde le *cook* debout en arrière de lui. Je vous ai dit qu'y faisait chaud, pis c'est vrai. Le *cook* était en nage : deux cernes de sueur d'à peu près un pied carré en dessour des bras, pis sur les cernes, les deux assiettes retournées, une en dessour de chaque bras. La Viarge ! Le cœur m'a quasiment levé quand j'ai vu ça. Si Ludger s'était aperçu de ça, y le tuait, ma grand foi du bon Dieu ! Charlie a pas fait l'air de rien, pis y a mangé ses bines là-dedans. Moi je connais pas un maudit Canayen qui aurait fait ça. Ça prenait un Anglais, monsieur, pour renifler la bine là-dedans. Oui ! Charlie Veidt : un monsieur d'homme. *Smart,* poli, sérieux, pas embarrassant, pis pas fier pour deux cennes, malgré une grosse instruction.

Non, les Anglais en général, j'pense pas qu'y haïssent trop les Canayens en particulier. Y ont pas de raison non plus, tu vas me dire. Pis tu dis vrai. On leur a donné nos limites à bois, notre eau, nos rivières à saumons, nos *shops;* pis nos bras, pis notre cœur, pour faire marcher tout ça comme y faut. Par-dessus le marché, on les a laissé marier nos filles quand y voulaient. Aux conditions que je t'ai dit, ben entendu, mais c'est encore un maudit bon bargane, tu penses pas? Ça fait que je vois pas les raisons qu'y auraient de nous en vouloir. Non, je vois pas.

Mais les Allemands par exemple, ça, c'est une autre paire de manches. Surtout durant les deux grandes guerres, les Anglais pouvaient pas les sentir pantoute. Je vas même te conter un petit fait, pour te montrer comment. Y avait un nommé Hamester, Harry Hamester qu'travaillait pour la C.I.P.. Un maître homme comme y s'en fait pas un sur un mille. Mais, y était Allemand. Pis dans des petites villes comme Campbellton ou ben Dalhousie, tout le monde le connaissait, tu peux penser. Y se sont mis à y faire la grosse gueule, à botter le cul à son petit gars, à plus y adresser la parole, comme si y avait eu poigné le choléra. Sa femme était montrée du doigt, même si c'était une Anglaise pure laine, d'Angleterre, s'il vous plaît. Lui, Harry, y aimait pas plus les Allemands que les Anglais. Y avait sacré le camp de là en 34, 35, parce qu'y pouvait pas sentir Hitler pis sa gang. C'est ben pour te dire hein, mais le monde voulait rien savoir pareil.

Farrell parle de ça à Ludger : « Tu peux le prendre avec toi, c'est un vrai bon homme ». Ludger pas scrupuleux là-dessus, dit : « J'ai déjà un nègre, pis j'ai pas à m'en plaindre pantoute, ça va me faire un Allemand en plus. »

Engage Hamester. Y a jamais fait un meilleur coup de sa vie. Ça nous a fait un commis dépareillé, pis nous autres, on l'a pas écœuré parce qu'y était Allemand, pis sa femme Anglaise. C'étaient pourtant nos deux pires ennemis... Mais, c'était toujours pas de leur faute non plus, la Viarge !

Harry s'est trouvé assez ben traité, qu'au bout d'une couple d'années, y a dit à Ludger : « Je veux mourir dans le Québec, pis je veux me faire catholique. »

Pis comme de fait, y s'est mis à marcher au

catéchisse. Ça faisait drôle un peu, à une soixantaine d'années. Quand Harry a été paré, y a dit: « Je veux me faire baptiser icitte dans le bois, au moulin ».

Pis c'est en plein ça qui est arrivé. Mais pas un petit baptême avec rien que le curé pis le bedeau, ah non! monsieur! Un des plus gros *shows* qui s'est jamais passé dans le bois, icitte ou ben ailleurs, je t'en signe un papier. Écoute ben ça.

La première affaire de toute, lui, sa femme pis son petit gars ont été baptisés. Ensuite, y ont été à la confesse, pis y ont communié. Après ça, y les ont confirmés, pis pour finir la sauce, Harry a marié Jenny qui couchait avec depuis vingt-cinq ans. Cinq sacrements d'une *shot*! Qu'est-ce que tu penses de ça, Saint-Sacrement?... Mais ça, c'est encore rien. C'est un archevêque qui leur a fait la *job*, s'il vous plaît, pis monseigneur Courchesne à part de ça. Mais c'est pas tout. Le parrain pis la marraine à Harry, c'était Ludger, un Acayen, pis sa femme, une Canayenne. Pour Jenny, c'était Sheddy Abud pis sa femme, deux Syriens. Pour le chant, c'était les pères du Saint-Esprit du Juvénat du Lac. Là-dedans, y avait le père Ma Mie un Suisse, le père En gloire... quelque chose comme ça. (J'ai toujours eu de la misère à me rappeler ces maudits noms-là. Y en avait un à Cascapédia, un Belge, y était ingénieur à la Federal-Métals. Y s'appelait quelque chose comme Marine-gaine... Moi, je l'appelais toujours: Machine-gun). En tout cas, le père, c'était un Hâlezacien qu'y di-

18

saient: pis dans les jeunes, y avait un Américain, pis une couple de nègres qui venaient
d'Haï-t'y, pis d'un autre place, je me rappelle
pas trop là, ousse que ça parlait espagnol. Y
s'est parlé espagnol, français, anglais ben entendu, suisse pis Hâlezasien, allemand pis syrien
dans la cookerie où y avaient installé l'autel.
T'entendais japper ça de toutes les manières.
Harry parlait tout ça à part du syrien lui, c'était
un vrai *show,* mais en pleine guerre de même,
sais-tu que j'ai trouvé ça beau.

Mais c'est pas fini ça. En montant avec sa
femme, Ludger manque de *brake* dans la côte
du Fer-à-cheval. Pour pas se tuer: prend le
bois. Passe entre deux épinettes de quinze pouces sur la chousse, pis vient à bout de snobber
ça dans une talle de saint michels. Y débarquent de là, se secouent un peu, checkent leurs
membres: y ont pas une égratignure ni un, ni
l'autre. Paula avait même pas une échelle dans
ses bas. Monseigneur Courchesne a dit, la Viarge!, « Voilà un dessin de la Providence!» J'ai
dit en moi-même, c'est pourtant vrai, parce que
si la Providence avait dessiné un bouleau de
vingt pouces sur la chousse devant le char à
Ludger, c'est pas un baptême qu'on aurait eu
icitte aujourd'hui, c'est un enterrement!

Pour en revenir aux Anglais dans cette affaire-là, je pense pas me tromper en disant qu'y
nous en voulaient pas, parce qu'en plus de nous
donner la terre comme je disais, y nous ont
laissé la politique pis le tourisse en plus de ça.
Le tourisse, c'est une grosse affaire pour nous

19

autres. Ça dure pas longtemps, tu vas me dire, mais crains rien: on est pas plus fou que d'autres... Quand ça ressoud, on pèse un petit peu plus sur le crayon pour s'équipoller. Faut ben! Autrement comment que tu voudrais qu'on peuve recevoir notre monde l'été d'après?

Y en a qui exagèrent un petit peu, je suis ben d'accord avec toi. Je sais qu'y a des places où ça va te coûter pas mal plus cher pour te coucher qu'au Château Frontenac. Mais, icitte on est bilingue. Ça vaut quelques piasses de plus, tu penses pas? Pis on reçoit pas les tourisses comme un veau dans la grande allée le dimanche. C'est ben garanti que les Anglais peuvent pas critiquer sur la manière qu'on les reçoit. On est du monde recevant en masse, pis un Anglais a jamais de misère à se faire comprendre. Ben des petits gars de dix ans peuvent y dire qu'en continuant tout dret, *he can't miss it. Anyway,* y a rien qu'une route: quand tu rentres dans le canal à un bout, faut que tu sortes à l'autre.

Y a une affaire par exemple, que je voudrais vous dire une bonne fois pour toutes. C'est encore la faute au gouvernement, ben entendu... Non! nous autres, on est comme ça par icitte: quand y a quelque chose de ben faite, c'est pas lui: quand y a quelque chose de mal faite, c'est lui. De même, c'est pas compliqué, pis tu risques pas de te tromper. Je reviens à ça, là. Y font faire le tour de la Gaspésie en passant par Matane, Sainte-Anne-des Monts, Gaspé ainsi de suite. Mais, c'est pas la bonne manière de le faire. Pis tu vas comprendre pourquoi, si t'es pas fou... C'est ben entendu que même si c'est pas mal anglais dans la Gaspésie, on est quand même pas en Angleterre! On chauffe à droite. Ça fait, qu'en faisant le tour comme je viens de te dire, t'as toujours la mer à main gauche. Chaque fois que tu veux y aller, faut que tu coupes le chemin: pis c'est dangereux. Si t'ajoute à ça que t'as toujours le soleil dans la face, c'est encore pire. Qu'est-ce que tu veux, c'est icitte pareil comme chez vous: le soleil se lève à l'est, pis y se couche à l'ouest. Pis en faisant le tour à l'envers, tu l'as dans la face du matin jusqu'au soir. C'est ben fatiguant pour un chauffeur, pis le chauffeur c'est pas un chien, faut y donner la chance de voir un petit peu les alentours. Ajoute à ça que les villages sont quasiment tout le temps bâtis à main droite du chemin. Ça veut dire, si tu me suis ben, que toutes les cours, toutes les rues, pis toutes les petites routes tombent sur ton bord de la route quand tu fais le tour par le nord. Ça itou, c'est dangereux pis c'est de l'attention. Mais, la pire affaire, c'est que t'arrives à Percé à l'envers, pis veux, veux pas, y a rien qu'une manière d'arriver à Percé le premier coup: c'est par la Côte Surprise. Si tu manques ça, tu manques la moitié du voyage. Je te dis pas pourquoi parce que rien que ça, ça couperait ton *fun*. Ça fait, qu'en passant, prends donc le conseil d'un vieux Gaspésien: quand tu feras le tour de la Gaspésie, rendu à Sainte-Flavie, poigne donc la Vallée. Tu m'en diras des nouvelles.

21

Pis à part de ça, pour l'amour du bon Dieu, si t'as le cul large comme la table, que t'es faite comme une meule de fromage canayen, cache-toi un petit peu quand tu te baignes. Je dis ça pour te faire de la peine... C'est pas de ta faute, tu vas me dire, pis je le sais ben, mais ça fait rien: penses un petit peu aux autres. Je dis ça parce qu'une fois, j'ai pas été capable de garder mon dîner. J'étais en train de me bercer tranquillement sur mon perron, le dimanche après la grand'messe. Y faisait beau soleil. La mer était en remontant un peu. Je regardais les goëlands manger des cochonneries sur la grève, pis planer dans le vent, quand ça a ressoud: un char plein de créatures. Y arrêtent ça juste devant ma porte. Ça me fait rien *mind you,* j'sus pas un sauvage pis la mer est pas à moi tout seul. Ça débarque, pis ça commence à se déculotter dans ma face. J'ai dit la Viarge! Y vont toujours pas se mettre à poil devant ma face, pis la face à toute ma famille? Mais non, y avaient toutes un *bathing suit* sur le corps, en dessour de la robe. Y se sacrent à la mer, se garrochent des poignées d'eau dans la face, pataugent une secousse dans l'eau, se couraillent sur la grève, jacassent comme un poulailler qui voit ressoudre une belette, pis viennent à bout de se fatiguer assez pour se fermer la gueule, pis se coucher dans le sable. Mais y en avait une là-dedans!!! T'aurais dû voir ça, la Viarge! Une grosse maudite poutine, écalvantrée la panse à terre sur la *beach,* écartillée comme la gueule d'un hippotame qui bâille, les jambes

22

ziggagées d'évarisses violettes, quand a courait, t'aurais dit une bollée de Jello sur un *shaker....* J'ai dit à Lida: c'est ben simple, a m'écœure. A m'a coupé l'appétit net. J'ai grignoté un petit peu, sur le bout des dents... j'ai pensé à elle, pis j'ai été obligé de remettre. Une belle créature se montrer c'est un plaisir pour l'œil. Ma grand foi! Ça te fait aimer le bon Dieu d'avoir fait ça. Mais, les pots à bines, pour l'amour de la Viarge, cachez-vous un petit peu! C'est pas une annonce pour le touriste, ça; pis le touriste nous-autres, c'est une industrie. Oubliez pas ça.

On s'en occupe à part de ça. Y a pas un Anglais qui peut se mélanger. Y a des affiches partout dans sa langue. Non! tu comprends, faut pas que ce monde-là en arrivant icitte, se sentent dépaysés. Y s'ennuieraient, pis y s'en iraient, peut-être ben. Pis peut-être ben qu'y reviendraient pas. Mais on watche notre affaire, pis on leur en met des annonces en anglais qu'y peuvent pas se mêler: «*Rooms with running water*». Y en a qui vont dire que ça serait pas nécessaire, parce que l'eau courante, ça fait une bonne secousse que tous les hôtels ont ça sur le menu. C'est pour te dire comment qu'on est prévenant: on leur écrit ça au cas où y douteraient: «*Heated Motel*». Ça, vois-tu, c'est pas écrit pour rien. non plus, parce qu'y en a qui chauffent pas l'été, pis veux, veux pas, c'est pas aussi confortable. Ça prend une petite attisée, pour chasser le serein, pour ben faire. «*Personnel Bath Math*». Tu devrais voir le matelas, par exemple. Pas moins que deux pieds carrés en papier ciré. C'est pas avec ça que tu t'essuies les pieds, des fois ça colle que t'as l'idée de marcher en raquettes, mais c'est mieux que rien. Pis un tourisse qui voit ça écrit: un matelas à vous autres, vous pouvez même l'emporter, ça doit le poigner un petit peu. Y doit se dire: manière de polis, les Gaspésiens. La même affaire pour les verres pis la toilette: «*Sterilized for your convenience*». Arrête un peu! Pareil comme chez le dentiste! Y doivent trouver qu'on se plante un peu rare, tu penses pas?

Si les tourisses tombent en *wrack,* y ont pas de problèmes, y ont le choix: des *gaz bars,* des *towing service,* des *wheel alignement,* des *night and day service,* des *English spoken here,* des machins *spring service,* des choses *auto parts,* des *body shop auto,* des *welding centers,* des *Avis rent a car:* on a tout ça. Pis en anglais à part de ça. Des fois, par exemple, le gars en dedans parle pas un maudit mot anglais. Mais, au moins, y a fait l'effort d'appeler son commerce en anglais; pis ça, les tourisses devraient apprécier ça, d'après moi!

Pour la mangeaille, c'est la même histoire. T'as le choix. «Chez Jos, 2 miles, *A good place to eat!*», «*Beer to take out*», «*Cold Ice*». Manquablement, qu'y en a de la frette, pis de la chaude... «*Bread of the country*». Ça, faut que je t'explique. Je sais que t'as compris: pain du pays, mais c'est pas tout à fait ça. C'est pas du pain de boulanger, même si le boulanger est du pays icitte, à moins qu'y vienne de Campbellton. Non, c'est du pain fait à la maison: du pain d'habitant, si tu veux. Si t'en as jamais mangé, manque pas ça. Avec du beurre pis de la ciboulette, c'est un *snack*. Mais les chambres de commerce devraient prohiber ça. Les Américains se bourrent assez la face avec ça, qu'y laissent quasiment pas de foin dans les restaurants. Pis pourtant c'est pas le choix qui manque: «*Dixee Lee Service*». Pour ceux qui font du camping, on a des *groceries* pis des *general merchants*. Tu prends ta *cold beer* avant de luncher: *Bar B.Q., Chicken in the basket* ou ben *fish and ships* pour les enfants, *living lobster* pour toi, pis ta femme. Ça, tu peux pas te tromper, surtout si tu l'achètes en vie. Ça va être facile à reconnaître: y va être vert, y va grouiller un petit peu. Pour être ben certain, tu mets ton petit doigt entre ses pinces... Prends ben garde à toi par exemple, quand tu demandes une sandwich au houmard dans les restaurants. Quasiment à tout coup, c'est du houmard en *can*, pis ça, ça goûte pas plus le vrai houmard que des patates goûtent le navot. Fais-toi pas poigner!!! Si tu veux pas te batcher tout seul, dors tranquille, on a des *dining rooms*, des *snack bars*, des *canadian cuisines* ben entendu, pis même de la *french cuisine*. Si t'as quelques piasses à mettre là-dedans, crains rien, tu creveras pas de faim en Gaspésie.

Passer des grandes soirées dans la chambre ou ben dans la tente, ça vient *dull* à mort, tu penses ben, mais inquiète-toi pas, on a ce qu'y faut. Des théâtres, même des *drive-in-theaters* avec des films anglais comme de raison. *Dance*

Halls avec des orchestres de nègres, pis des *Topless Dancers* canayennes pure laine, quand ben même y s'appellent Conchita Gomez ou ben Maria Gonzalez. C'est le cas de le dire, y parlent espagnol comme une vache espagnole. On a des *Cocktail Lounges fancy* en masse, pis des *Saloons* pareils comme ceux-là que tu vois dans les films de *cowboys*. On a des petits *Pubs*, pis quelque brasseries. Pis si tu veux tasser une petite Gaspésienne, maudit cochon, on a des *free parking*. Si tu restes sur la grand route, fais attention en lâchant le tarvia: des fois, y a des *soft shoulders*. On a encore à part de ça des Gaspé Tours, des Île de Bonaventure Tours, pis ben d'autres tours dans notre sac pour te hâler ton argent de ta poche: des *gifts shops* que si tu te laisses faire, tu vas être obligé d'aller à la *Bank of Montreal* ou ben à Household Finance en sortant, pour qu'y te baillent le foin pour finir ton voyage. Des *Wool Shops* que tu vas payer un petit *sweater* pas de manches quarante tomates. Des *Variety Stores* ousse que toutes les maudites cochonneries que tu peux imaginer, te regardent dans la face, pis te disent amène-moi, quasiment comme les petits à la Crèche de la Miséricorde. On a tout ça, pis j'en passe.

Si en sortant de là, ta femme se met à brailler, parce que tu y dis que t'es cassé pis que tu redécolles pour Montréal le lendemain matin, tu peux la laisser chiâler tout son saoul. Quand ben même a serait bouffie comme une pourcie de grève, on a des *Beauty Salons* qui vont y faire un *Hair-do,* y donner un message, te la trimmer, pis la renipper que les gars vont siffler quand tu vas l'amener au *Coffee Shop* manger un *hamburger relish-mustard.* Si t'as pas amené assez de linge de *spare,* on a des *laundries* automatiques, pis des boutiques, des *gents,* pis mêmes des Uni-sex. Inquiète-toi pas : on est paré.

Pour être ben honnête avec toi, on charge cher un peu, mais si on est cherrant, on a des excuses. D'ordinaire, tu viens nous voir rien qu'une fois dans ta vie, ça fait qu'on veut que tu te rappelles de nous autres un peu. En plus de ça, l'été icitte, a finit à la fin d'août, quand on est ben chanceux. D'ordinaire on peut se fier sur le mois de juillet, pis c'est tout. Raison de plus pour se dépêcher quand a passe, non ? Je sais que tu vas me dire que les routes sont pas extra. Je le sais, mais ça non plus, c'est pas de notre faute. Je te l'ai dit betôt, nous autres, on a jamais rien à se reprocher. Le temps, c'est le bon Dieu qui l'envoye. Tu voudrais pas qu'on s'ostine avec Lui ? Les routes, c'est le gouvernement, pis quand même on chiâle, y vont pas plus vite. Pis peut-être ben qu'y peuvent pas faire mieux. À force d'en cracher pour Montréal, pour le gros terrain d'aéroplanes à Ste- … un nom-à-coucher-dehors-que-je-peux-jamais-me-rappeler, pour la Baie James, c'est normal qu'y reste plus rien pour nous autres.

Mais admets avec moi que pour renseigner le tourisse sur les routes qu'on a, y font ce qu'y faut. Des *Steep Hills* dans les côtes casse-gueules, y en mettent. Des *Propulsary Wheight,* au cas où tu ferais le tour en *truck-auto* y en posent.

27

Des *bumpy roads,* des *narrow bridges,* des *railway crossings,* y en mettent. Dans les *school zones,* y ajoutent même un autre annonce. *We love our children; dont kill them, bloody bastards.* Le dernier bout, c'est sous entendu, tu comprends. *Hospital zone: keep quiet,* surtout la nuitte, autrement tu vas passer pour un maudit pas élevé, pis y a un gars qui va venir te le dire à part de ça. *Yield* le passage, maudite tête heureuse. Tu sais pas lire! C'est écrit dans les deux langues pourtant! Non mais ces maudits *Sunday drivers*-là, y pensent que le chemin est à eux autres tout seuls? Fais attention! Détour! *Road under construction.* Un autre petit bout dans la poussière. Prends pas mal ça, on a des *car wash* automatiques... Tiens, ça doit être une moyenne ville devant, c'est marqué: *Traffic lights 200 feet ahead.* Bon! V'là la pluie qui prend asteure. (Énerve-toi pas, on a eu une belle semaine. Oublie pas que le soleil s'est montré deux fois, depuis cinq jours! Y a au moins le quart des tourisses qui ont réussi à voir le Rocher Percé à travers les passées de brume.) *Don't drive too fast honey! You see the sign? Slippery when wet.* Là, franchement je trouve que la voirie, y exagère. C'est ben beau être poli, mais y a des limites. Penses-tu que c'est vraiment nécessaire? Aujourd'hui, les enfants apprennent à faire l'acte, avant de chauffer un char... Penses-tu qu'y le savent pas que c'est coulant quand c'est humide? Non, d'après moi, celle-là, elle est superflue... *Men at work, 20 miles per hour!* On peut pas aller plus que dix

28

milles à l'heure *anyway*. Les tourisses le savent peut-être pas, par exemple. Faut prévenir... On prévient itou, on leur met même des flèches bilingues, la Viarge! Y peuvent pas chiâler. Tiens, c'est y assez fort, regarde dans le derrière de nos autobus: *We stop at railway crossings.* Tu diras pas que c'est pas aider le gars qui suit ça!

Ben oui, tu vas me dire que ça serait ben mieux si y avait pas de *crossings,* pis pas de bouts dans la vase, pis pas des milles dans la gravelle, pas de calcium dessus. Je sais ben. Je te comprends. Mais on comprend ça, nous autres, que les chemins y peuvent pas venir les poser en hélicoptères. Ça fait que toi qui passes rien qu'une fois dans ta vie, pis en vacances par-dessus le marché, cesse de nous engueuler, pis fait comme nous autres. On paye nos impôts nous autres itou, pis on toffe, même si on est là-dedans à l'année longue.

Pis regarde, on a encore assez belle humeur pour te recevoir avec un sourire chaud comme le mois de juillet, même si tu viens au mois de septembre, quand les hôteliers pèsent un peu moins sur le crayon, pis que les *shops* de tous les poils se débarrassent de leur *stock,* pour pas le remonter à Montréal. Parce que, sais-tu une chose mon petit garçon? Ceux-là qui te squeasent le mieux quand tu viens en Gaspésie, c'est ben souvent des gars pas loin de chez vous, qui viennent faire la palette icitte l'été, pis qui vont se faire roûtir en Floride l'hiver....

Pis une dernière chose: les Gaspésiennes sont si belles... C'est-y le salin de la mer qui leur fait ces belles joues-là? Je le sais pas. Mais ce que je sais, c'est qu'un homme en santé aurait envie de faire pleurer son ange gardien du soir au matin, rien qu'à les voir se promener en petites mini-jupes, que tu leur vois quasiment le diable au travers. Tu penses pas que rien que pour te rincer l'œil comme ça à l'eau salée, ça vaut la peine de venir nous voir?...

1

Je m'appelle Ovide Leblanc. C'est pas de ma faute. Tout le monde m'appelle Ovide la Viarge. Ça c'est de ma faute, mais je vous dis pas pourquoi... On va placoter ensemble une couple d'heures, pis vous allez comprendre, ça sera pas long.

Vous allez me demander ce que je fais icitte à l'hôpital de Maria? Je sais le diable pas. J'ai jamais été malade de ma vie... jamais eu un rhume. Ah! j'ai ben manque eu les cochonneries d'enfants d'école: les oripiaux, la grattelle, la coqueluche, les poux (si vous pouvez appeler ça une maladie), mais à part de ça: rien. J'ai toujours filé numéro un, toute ma vie. C'est plutôt du côté des femmes que la maladie a poigné un peu. Lida a été quelques fois au lit avec le docteur... les petites filles aussi. Les gars? Non. Jamais malades.

Mais l'automne passé, je me suis mis à mal digérer. Pas parce que j'ai pas d'appétit, non, je mange en masse, mais je profite plus, je me sens faible comme de l'eau. Ça fait que j'ai décidé de rentrer à l'hôpital. C'est une manière de parler, c'est plutôt Lida, pis les enfants qui se sont mis après moi à s'acharner pour que je voie les docteurs. Je me suis laissé faire mais, entre nous autres, les docteurs, j'ai jamais eu confiance à ça. Pis je pense que je me suis pas trompé : depuis deux mois que je suis icitte, ça a pas changé. Ah ! je sens pas de mal, pas trop en tous les cas : un petit tiraillement dans la panse icitte et là, de temps en temps, mais rien pour se sacrer à terre pis crier. Mais je sais pas ce que c'est : pis eux autres non plus, d'après moi. Peut-être ben que c'est le bout de la *trail*.... Tu sais, quand la pluie commence tranquillement, a dure longtemps.... C'est peut-être ben la même chose avec moi...

C'est vrai qu'à soixante-quinze ans, tes plus belles crottes sont faites. Veux, veux pas ! Ça fait que je suis pas mal certain que c'est pas la crise de croissance que je fais là, ni les émydales... En tout cas... j'ai pas peur. J'ai fait mon règne, pis une bonne journée : faut que ça finisse. Quand l'heure va sonner, j'vas être prêt. J'ai jamais vi en peureux : je mourrai pas en peureux non plus. À part de ça, je m'en fais peut-être ben pour rien aussi... Tu sais, un homme tout seul des grandes journées longues de temps : l'idée travaille. En tous les cas... Si c'est ça : c'est ça... C'est pas en braillant, en rechignant que je vas changer quelque chose. En plus de ça, le bon Dieu a dit qu'y viendrait comme un voleur.... j'aurai pas à me plaindre si y me prévient une couple de mois d'avance. J'ai pas à faire la petite gueule non plus : j'ai eu un beau règne. Soixante-quinze ans, ça commence à faire un pas pire bout de *trail.*

Mais ça passe vite, la Viarge! Y me semble encore que mon père vient de me donner ma première paire de bottes de drave. J'avais quatorze ans. Soixante ans passé... Déjà! J'ai quasiment pas eu le temps de me revirer de bord, pis v'là que je suis vieux. Je me sens pas vieux, *mind you.* Je suis encore dret comme un piquet. Jusqu'à l'automne passé, je me sacrais encore de n'importe qui pour marcher dans le bois. J'embarquais sur mes raquettes le matin, pis je débarquais le soir. Raqué un peu, tu vas me dire, mais pas pire qu'un autre: en tout cas, ben mieux qu'une maudite gang de jeunesses. Mais, veux veux pas, le compte est là.

Ma première paire de raquettes.... Je devais avoir à peu près dix ans. Mon père avait acheté ça d'un sauvage de la Réserve icitte, à Maria justement. C'est le seul cadeau de Noël que j'ai jamais eu. Pis je l'ai payé en poignant du lièvre que je revendais dix cennes chaque. Dans le temps, on nageait pas dans le foin, crois-moi: le bas de laine à Noël, une pomme, une orange, une poignée de *candy* français, pis fallait que t'attendes l'année d'après. Personne braillait: c'était la mode de même. On en est pas mort... la preuve!

J'ai été à l'école un peu: quatre, cinq ans avec la maîtresse. On partait le matin vers sept heures, le lunch dans le sac d'école à travers les devoirs, pis on revenait l'après-midi vers cinq heures. L'été, c'était pas trop pire, mais l'hiver, c'était plus toffe un peu. Quand le nordet poignait, que la poudrerie rafalait, y a des bouts que t'en navrais quasiment. Mais pas question de manquer l'école, à moins d'avoir un membre cassé. On y allait pas longtemps, mais on y allait. On était pas comme les autruches d'aujourd'hui qui se sacrent la tête dans le sable au premier brin de pluie. Non monsieur!

L'école... ça aussi ça a changé pas pour rire. Dans mon temps, c'était une petite bâtisse en bardeaux, coupée en deux: un bord pour la maîtresse, l'autre bord pour nous autres. Un *box stove* pour chauffer ça, pis la closette dehors: un bord pour les petites filles, l'autre pour les petits gars. Oui.... On a coupé la crotte pas rien qu'une fois le derrière assis dans la pisse glacée. Crois-moi!

Un bon matin quand t'étais grandet moyennement, y te lâchaient au catéchisse, avec monsieur le curé, lui-même en parsonne, s'il vous plaît. Tu marchais au catéchisse à peu près un mois, pis là tu faisais ta communion solennelle. Tu renouvelais les promesses du baptême, tu renonçais à un tas d'affaires pas correctes, mais le *fun* en masse, par exemple; pis là, t'étais un homme. Des fois, y te confirmaient du même coup: ça finissait de te parer pour la vie. Si t'étais assez vieux, t'avais même le droit de te marier... Pis comme de fait, y en a dans la gang qui avaient la tête assez dure, qu'y étaient quasiment prêts à élever une famille quand y venaient à bout de passer. J'en connais qui ont marché cinq ans, six ans, avant de poigner le certificat. Y étaient quasiment hommes faits la Viarge; pis y marchaient encore avec les bédaines. C'est un vrai *show* de voir ces grands maudits fanals là avec les petits jeunes qui leur venaient au nombril. Y en a même qui se mariaient tout suite après. Le curé les aidait ben manque un peu: autrement y auraient encore marché avec leurs petits.

Moi, j'ai fait la mienne dans le printemps 1912. C'est pas hier! Après ça, plus question de retourner à l'école. À part de ça, pour dire la franche vérité, on en savait quasiment autant que la maîtresse. Ben oui! D'abord, c'était toujours la même, pis tout le monde était dans la même classe. A claquait une secousse sur les doigts des petits de la première année pour leur montrer les lettres, les chiffres, pis les prières. Après ça, a poignait ceux-là de la deuxième, ainsi de suite jusqu'à la sixième. Rendu là, ça allait pas plus loin: a l'avait dit tout ce qu'a savait. Quand t'étais pas tout à fait fou, après trois, quatre ans, tu savais son histoire par cœur. A avait beau nous dire d'étudier nos livres, quand a s'occupait des plus vieux... on n'était pas sourds, la Viarge! Ça fait qu'avoir persisté plus longtemps, on aurait perdu notre temps *anyway*. À part de ça, on avait hâte de travailler, de prendre le large: surtout, on voulait plus revoir la face de c'te maudite vieille fille enragée qui nous vargeait du matin au soir, pour un oui ou ben pour un non. Comme si ça avait déjà mis du plomb dans la tête, les coups de pied dans le cul... Une fois, je m'étais mauditement ben revengé par exemple. C'est moi qui charriais l'eau pour l'école; y avait pas d'eau courante dans le temps. Le matin, a m'avait sacré la volée pour une niaiserie. J'ai pensé en moi-même, tu perds rien pour attendre, toi. Tu vas avoir un chien de ma chienne, pis ça va être le plus beau de la portée, prends ma parole! À quatre heures, a ferme les livres, pis a me dit:

— Ovide, t'oublieras pas mon eau, là.

You goddam bet que je l'oubliais pas son eau. J'y pensais depuis la rince qu'a m'avait donnée. J'pars à la course avec la chaudière de vingt livres. Rendu au ruisseau, je la remplis aux trois quarts, je watche pour pas que personne me voie... je me sors le *nozzle* pis je me vide dans la chaudière de la maîtresse. Pis je t'avais une traite que je retenais depuis deux heures. A l'a bue, la Viarge! Garanti! Tu vas me dire que c'était réduit vingt pour un mais ça fait rien. Y a rien qu'une affaire que je regrettais: c'est que ma pisse ait pas été empoisonnée.

Revenant au père chez nous: y m'a demandé ce que je voulais faire. Y était pas pire le père. Y en a ben qui demandaient pas. Y te donnaient un *sawest,* pis embarque dans la chaloupe. Mais moi, y m'a demandé si je voulais travailler avec lui, ou ben si je voulais aller ailleurs. J'ai dit:

— Non. *Thank you!* Je passerai pas ma vie dans une barge à poigner de la morue pour Robin à une cenne la livre, pis chiquer du caplan le restant de l'hiver après ça.

Non. J'étais le plus vieux des garçons, pis je voulais donner un coup de main mieux que ça. Mon père a dit: «Qu'est-ce que tu veux faire?» J'ai dit: «Je vas prendre le bord du bois». Y a dit: «Correct mon garçon. T'apporteras ta paye à ta mère».

J'ai dit: «Beau dommage!»

C'était normal. Une jeunesse donnait ses gages chez eux tant qu'y était pas marié. Ça aidait à élever les autres. Y en a quelques-uns comme ça qui avaient deux, trois frères dans le bois, des fois une sœur fille engagère dans une famille à huit, dix piasses par mois (logée nourrie tu vas me dire), qui ont fait des savants, des curés. Y en a quelques-uns itou, qui ont fait des frais chiés. Mais y ont été faits avec de la gomme de sapin, pis de la sueur de *lumberjack,* la même maudite affaire que toi pis moi. Y ont chié dans une pelle carrée aussi souvent que moi! Ça fait, qu'y viennent pas parler dans les termes à queue devant ma face: ça poigne pas pantoute, pis ça m'énarve pas, pas une miette. C'est comme les tapettes de la radio qui parlent comme les Français. Y pourraient pas parler comme tout le monde, non? Pour qu'on les comprenne un peu. On n'est pas la majorité, non? Pas de saint danger, y se tordent la gueule pour sortir les mots *fancy,* mais ça empêche pas qu'y en a une maudite gang là-dedans qui sont pas assez futés pour aller mener la vache au bœuf.

Y en avait un à Carlisle, y a une couple d'années qui faisait chier, ma foi du bon Dieu. Une bonne journée, y avait un concours d'amateurs à la T.V. C'est lui qui les présentait. Y faisait le jars, se gourmait, t'aurais juré qu'y se prenait pour Ed Sullivan... Ça chantait, ça récitait des petits compliments, ça jouait de la musique. Toujours qu'y arrive un petit Arseneault de Carleton. Y y demande:

— Comment t'appelles-tu, mon petit bonhomme?

— Bernard Arseneault, monsieur.

(Poli le petit gars... Manière de bien élevé...)

— Quel est ton lieu d'origine?

(J'vous l'avais ben dit hein. Y aurait pas pu dire: ousse que tu restes?)

— Quoi?

— Oui... d'où viens-tu?

— De Carleton, monsieur.

— Qu'est-ce que tu vas faire pour le plaisir de notre auditoire?

— Je vas chanter, monsieur.

— Ah oui! Et qu'est-ce que tu vas nous interpréter?

(Ah! l'animal, je l'aurais fessé.)

— Il était un, monsieur.

— Il était quoi?

— Il était un, monsieur.

— Il était ton??? Il était ton??

— Ben oui, monsieur: il était un.

— Je m'excuse, mais je ne connais pas cet: il était ton.

Le petit gars commençait à être à la gêne un peu avec ça lui, mais y était pas fou, la Viarge! Quand y voit que l'autre est fourré aux as avec ça, y perd pas temps, pis y entonne: « Il était un petit navire, il était un petit navire, qui n'avait ja, ja... » Un *lullaby* que nos grand' mères nous ont chanté des générations pour nous endormir sur leurs genoux, y connaissait pas ça lui, cet innocent-là. Y a attrapé l'air, tu penses...

Mais je m'éloigne de mon histoire avec ça, moi. Je reviens au père chez nous. Y m'a donné les bottes que je vous parlais, pis y m'a dit :

— Fais un homme de toi, mon petit garçon.

J'ai dit :

— Crains pas la glace, papa.

Pis j'ai fourré mes hardes dans une poche vidante d'avoine, j'ai planté une gaule dans le nœud, je me suis sacré ça sur le dos, pis j'ai pris le bord du bois. Je viens rien que d'en ressortir. Et pis, craignez rien, si je pouvais retomber à soixante ans, je reprendrais le même bord demain matin : pis mauditement content, à part de ça.

2

C'est vous dire que je regrette rien. J'ai aimé cette vie-là, même si ça a pas souvent été un velours. D'une lumière à l'autre, l'hiver, pis d'une étoile à l'autre, l'été ; à la job ou ben à gages : pas de différence, parce que dans ce temps-là, le gars qui s'assisait sur le bacul, y prenait vite sa poche. On disait : en v'là un qui va faire une *run* sans chier. Pis comme de fait, trois, quatre jours après, le *boss* le sacrait dehors.

L'hiver, on campait dans des camps en bois rond. Le printemps sur la drave, on couchait dans les tentes. Dans les cookeries, c'était pas le château Frontenac, tu peux me croire. Des binnes au lard, du chiard-aux-oreilles-de-christ, du *corned beef,* du gruau, des crêpes, de la melasse, de la castonade, des patates, du fromage canayen, de la soupe aux pois, des tartes à la farlouche, pis du galettage. C'est à peu près tout. Le beurre, c'est un luxe qu'on a pas vu sur les tables avant les années quarante, le sucre granulé avec. Quand c'est arrivé, ça quasiment été une fête. Léger Chevarie lui, y aimait assez le sucre pour en mettre dans sa soupe. Un coup, y était assis à la même table que Ludger. Rendu au dessert, y demande :

— Ludger !

— Oui ! Qu'est-ce que tu veux ?

— Passe-moi voir le sucre pour sucrer ma melasse.

La Viarge ! C'est pas du sucre que Ludger y a passé. Non ! mais un maudit savon, par exemple.

Après ça, le *steak* de *jobber* est arrivé : le *baloney* maudit ! C'est avec ça qu'on se brisait l'estomac. Ça se comprend : manger une pareille cochonnerie gelée, en plein mois de janvier, quinze, vingt en bas de zéro. Ça aurait pris un mixeur à ciment pour digérer ça... Le poulet, pis les œufs, on a pas vu ça avant cinquante, cinquante-cinq, pas moins.

Aujourd'hui, y a pas un hôtel qui nourrit le monde mieux que dans le bois : *corn Flakes* le matin, pis toutes les autres faiblesses avec, du gruau, ben entendu, les œufs, le bacon ou ben le jambon, les *pancakes,* les jus, la marde-malade, le fromage : nomme-les, y l'ont. Deux, trois sortes de viande le midi, autant le soir ; quatre, cinq sortes de tartes, autant de gâteaux, pis du galettage tant que t'en veux, pis de tous les poils. Le lait et le beurre sur la table, s'il vous plaît ! Oui monsieur ! Tu manges tant que tu veux. Comme un cochon si tu veux. Y en a qui se gênent pas non plus : y mangent aussi mal, pis autant que des cochons, *you goddam bet.* Y en a un (je le nommerai pas, parce qu'y est encore en vie), y avait un estomac double, que le diable m'emporte. Y mangeait sa douzaine d'œufs tous les matins, ses deux tartes tous les soirs que le bon Dieu amène. Un matin, pour rire, les gars le stompent:

— T'es pas capable d'en manger vingt à matin. Y en a envalé vingt et un! Que le bon Dieu m'écrase, si c'est pas vrai! Y est sorti de la table paff comme un goret qui aurait tombé dans l'auge de la truie. Y te lâche un rot, mes amis, un vrai rot de cheval. Y se retourne en ricanant envers les gars, se frotte la panse un peu, pis y dit: «Je les digère, hein?, les maudits christs!»

Quand je pense qu'y en a qui trouvent encore le tour de chiâler là-dessus. Mais ceux-là, je vas dire comme Ludger: «C'est des maudits crève-faim qui ont kické sur le lait de leur mère».

Si y avaient connu ça, y a soixante ans: y se trouveraient au paradis! C'est le jour pis la nuit: des petites chambres pour deux hommes tout seuls. Plus de *double decks*, non monsieur! C'est défendu par la loi. Les draps blancs là-dedans. Si y avaient vu les beds à bœuf!!! Les douches, l'eau courante, la télévision, l'électricité, les autobus pour charrier les gars dans le bois. Y a même des compagnies qui voiturent leurs hommes à la maison matin et soir! Quand j'ai commencé, moi, quand ben même ton bûcher était à deux, trois milles du camp, tu y allais à pied. Tu te levais à quatre heures, quatre heures et demie, tu soignais, tu mangeais à ton tour, t'attelais, pis tu montais ton cheval dans le bois,

43

quand même y faisait noir comme dans le cul d'un nègre.

Aujourd'hui monsieur, les *lumberjacks* sont voiturés comme des minisses. Nous autres, l'automne, on montait à pied dans les chantiers, vingt-cinq, trente milles, pas de différence. Le printemps pour la drave: la même affaire. On prenait une poche vidante d'avoine, on sacrait notre linge de corps pis nos couvertes là-dedans, une corde à moissonneuse attachée après ça pour faire la *strap*. Ça te coupait l'épaule au sang... fallait mettre notre casse pis des fois nos mitaines sur l'épaule pour pas s'estropier.

Ça me fait rappeler la première année que Ludger a eu un *truck-auto*. C'était en '37 ça. Un Maple Leaf, trois tonnes. Ludger avait acheté ça dans le printemps, pis y avait mis une *tank* là-dessus. Y avait barganné ça pour faire le premier contrat de tarvia dans le comté Matapédia. Y avait fait l'autre bord du lac, une couple de milles, dans le bout du député Paradis: la Moustache-de-Broche. Y avait fait commencer ça chez eux lui. C'est normal, la Viarge! Les députés étaient pas plus fous qu'asteure. Le reste des routes dans tout le Bas étaient à la gravelle. Les panses-de-vache là-dedans, le printemps quand ça dégelait: les niques-de-poules, l'été. Les poules se creusaient des trous dans la gravelle, nichaient là-dessus, mangeaillaient de la gravelle dans le chemin. Temps en temps, t'en fessais une dans le cul. A revolait par-dessus le *hood*. T'arrêtais. T'allais voir l'habitant, tu y donnais vingt-cinq cennes, pis t'arrivais chez vous avec une poule pour le ragoût.

Mais c'est pas ça que je voulais vous dire, moi. Je voulais vous parler du coup qu'on était monté à la drave en *truck* la première fois. Une fois le contrat de voirie fini, Ludger avait fait mettre une plate-forme sur le *truck,* pis des éridelles autour de ça. Le printemps d'après, le coup d'eau arrive. Ludger prend le téléphone, avertit une couple de gars, un par rang, un deux par place. Le lendemain matin, sa cour était noire de monde. Les gars habillés pour la drave ben entendu, le *packsack* sur le dos, fin prêts pour pas manquer leur tour. On avait des bottes de cuir qui montaient quasiment jusqu'aux genoux, mais on les laçait rien qu'à moitié, pour pas s'engorger la jambe. Ça égueulait d'en haut, pis t'entendais venir les gars sur le trottoir: flic, flac, flic, flac. Ça avait l'air fou tant que tu veux, mais c'était la mode. Mais c'était pas ça le pire. Le pire c'était les *caulks* qu'on mettait là-dessus. C'était une manière de petits clous à tête ronde les *caulks*, trois quarts de pouce de long à peu près, avec une tête d'un quart de pouce à peu près. Tiens, ça me faisait un peu rappeler les clous que tu mets sur les *tires* d'hiver. On collait ça sur nos semelles, une rangée sur les talons itou, pour pas glisser sur les billots. C'est quand tu mettais les pieds dans la maison avec ça... les bonnes femmes voulaient te tuer! Tu comprends ça te déviargeait les prélats au *goddam*! À part de ça, on mettait une paire de *breeches*, une froque de makinaw, une tuque, une cassiette ou ben un chapeau. On était manière de *swell* là-dedans. Les petits gars braillaient pour s'habiller pareil.

Ludger était là sur le perron. Matinal, Ludger. Y s'est jamais levé haute-heure de sa vie. Cinq heures : y était sur le pont, quand même y se couchait à deux heures du matin. Quand la cour a été pleine à son goût, y a fait avancer le *truck* en avant de la maison, pis y a regardé toute la gang dans la face. Quand y m'a vu, y a dit :

— Ovide, tu montes avec moi.

J'étais son *foreman,* c'est pour ça. Pis là, y a commencé à caller les gars :

— Alex Verreault, Philippe Raymond, Jim Lévesque, Jim Daigle...

En descendant comme ça, mais en commençant par la crème d'hommes, ben entendu. Le premier nommé embarquait dans le *truck,* les oreilles rouges toi, ordilleux. Ça se comprend : y avait au-dessus de deux cents hommes dans la cour. Se faire caller le premier, c'était tout un honneur. Se faire nommer le dernier, ça par exemple, c'était une autre paire de manches... Y en a qui rougissaient itou, mais... En tout cas...

Ça me rappelle une *shot* qui était arrivée à Ludger un printemps. Y avait une petite jeunesse de seize, dix-sept ans, un Imbeault, si je me rappelle ben. Ludger l'avait laissé monter à la drave, quasiment par charité : ça avait jamais travaillé de sa vie. Au bout d'une couple de semaines, le flô s'écœure, pis décide de

46

jomper. Mais avant, y vient à bout de rejoindre Ludger au téléphone...

— Monsieur Leblanc?

— Oui!

— Ludger Leblanc?

— Oui! C'est Ludger Leblanc qui parle icitte. Qu'est-ce que tu veux?

— C'est ben vous ça, monsieur Leblanc?

— Je t'ai dit oui! Es-tu sourd, baptême?

— Je jompe, là, monsieur Leblanc, pis mangez de la marde, monsieur Leblanc!

Pis y raccroche. (Manière de poli....)

Le printemps d'ensuite, y est dans la cour à Ludger. Un front de bœuf, ce jeune homme-là! Les gars t'avaient un *fun*. Y avaient une de ces hâtes que Ludger l'accroche, tu peux penser! Ludger call tout le monde. Un heure après, tous les gars sont dans les *trucks*, pis dévisagent Imbeault, accoté après l'écurie, tout fin seul à terre. Ludger revire de bord pour rentrer chez eux... tout d'un coup, y s'arrête... se retourne de bord... regarde son homme dans le blanc des yeux... Les gars se retiennent à deux mains dans les cordeaux pour pas rire. Y se disent en eux autres: Imbeault va manger le pinage de sa vie...

— Ah! c'est vous ça, monsieur Imbeault?

— Oui, Monsieur Leblanc.

— C'est bien vous ça, monsieur Imbeault?

— Oui, calvaire! C'est moi.

— Embarque, p'tit christ! Pis rendu en haut, tu me feras encore manger de la marde.

47

Y a sauté dans le *truck*. Y s'est pas fait prier, crois-moi. Pis y a toffé la *run,* ce coup-là.

On paquetait le *truck* ben dur, cinquante, soixante hommes là-dedans, peut-être ben plus. Debout, ben entendu. Plus qu'y avait de monde, plus qu'y faisait chaud. À la fin d'avril en Gaspésie, c'était pas encore les pays chauds, la Viarge! Pis à part de ça, ça tenait le ballant. Dans les croches, ça restait tout pris dans un pain: pas de danger de chavirer.

Ça me rappelle une autre histoire: c'était arrivé à peu près dans le même temps. Avant? Après? Je le sais pas. En tout cas, c'était un dimanche d'avril, à la fin d'avril. Au commencement de la semaine, le temps s'était mis à se gréer, pis y s'était mis à mouiller à boire debout, trois, quatre jours sans slaque. Là, le soleil était venu à bout de se sortir la face à travers de ça, pis ça s'était mis à fondre à vue d'œil. Téléphone à Causapscal au bureau de la C.I.P. pour checker l'eau. Y avaient des gardiens dans le bois à l'année: y watchaient les bâtisses, pis le printemps y avertissaient quand l'eau était bonne. Le téléphone arrive le samedi. Ludger appelle les gars à son tour. Le lendemain matin toute la gang était dans la cour. Ludger allait pas à l'église lui, mais y avait averti les gars pareil, d'aller à la messe basse avant de partir pour la drave. Toujours que Ludger sort sur la galerie.

— Tout le monde a été à la messe?
— Oui, Ludger.
— O.K. d'abord.

Pis, y commence le *roll call*. Un moment donné sa femme sort, pis a dit:

— Ludger, t'es demandé au téléphone.

— C'est pas le temps ma femme. Dis-leur de rappeler.

— C'est Monsieur Bouillon, Ludger.

— Ah!

Y arrête net, rentre dans la maison, ressort au bout de deux minutes:

— Les gars, on part pas aujourd'hui. Vous reviendrez demain matin.

C'est la première fois, pis peut-être bien la dernière de ma vie que j'ai vu Ludger revirer de bord devant un homme. Mais, le curé Bouillon, c'était pas n'importe qui. C'était parole d'évangile. Ludger s'était pas ostiné: monsieur Bouillon y avait demandé de pas partir un dimanche, Ludger a dit oui: pas plus de taponnage que ça. Pis croyez-moi si vous voudrez: c'est la plus belle drave qu'on a jamais faite.

Dans trois semaines, on a sorti douze millions de pieds de bois. On a jamais manqué d'eau: on en a jamais eu trop. Parce que trop, c'est aussi pire que pas assez. Quand y a pas d'eau, t'es obligé de glèner du commencement à la fin de la drave, mais quand y en a trop, le trois quarts du bois sort comme une balle dans un fusil *all right;* seulement, la différence passe droite dans les croches, pis va se ramasser sur les battures, trois, quatre cents pieds de la rivière. Quand tu viens à finir, t'es obligé de traîner ça à ton cou à la rivière. Prends ma parole: pour une job de cochon, c'est une job de cochon. Surtout les billots. Une épinette de seize pieds, quinze, vingt pouces au petit bout, ça laisse porter, crois-moi!

Ça prenait des bons hommes. Mais des bons draveurs dans ce temps-là, y en avait. On était tous pas pire: autrement on serait resté au bord, mais c'est comme dans toute affaire, y en a des bons y en a des moins bons, pis y a des champions. Mais fallait que tout le monde marche sur les billots. Ça, c'était comme la communion solennelle. Si tu le faisais pas, t'étais pas un homme. Tu prenais un billot de dix, douze pouces sur la chousse, tu te plantais un peu en arrière pour que la tête y sorte de l'eau, tu prenais ta *pole* dans le milieu, pis envoye en bas. Y a des gars qui auraient pu descendre la rivière à la longueur de même. Y en avait qui faisaient mieux que ça encore. Y prenaient un billot au bord du lac, se poussaient au large avec la *pole,* baissaient leurs culottes, pis faisaient une *job* dret là, pis sans se mouiller le cul, *mind you!* Ludger faisait ça lui, Alex Verreault itou. Mais le meilleur que j'ai connu, c'est Tit Jos Tremblay. Y était comme un écureux sur le bois, cet homme-là. C'était une vraie beauté de le voir travailler son billot. T'aurais juré qu'y était dans sa chaloupe. Y plantait sa *pole* dans son billot, juste devant sa face, pis y regardait en l'air dans le bout de sa *pole.* Ça, c'est à peu près ce qu'y a de plus dur à faire sur un billot. J'ai pas vu un autre homme capable de faire ça dans cinquante ans de drave. Ben entendu, on se sauçait de temps en temps. Mais, pas question d'aller se changer à la tente. Fallait sécher ça sur nous autres. On piquait un peu plus fort sur la jam, pis au bout d'une couple d'heures, on était correct. Oui, mes amis, ce qu'on a fait, y a des animaux qui l'auraient pas fait. Pis malgré tout, on était heureux. C'est-ty parce qu'on était fou? C'est-ty parce qu'on a pas été faits comme asteure? Je le sais pas...

Mais y a une chose que je sais: on a travaillé dur, on a élevé des grosses familles, mais on a jamais demandé la charité à parsonne. On n'a pas ramassé grand'chose, mais ce qu'on a ramassé y était à nous autres, pas au gouvernement, pas au secours direct, pas aux compagnies de finance. On a eu assez de cœur dans le ventre pour gagner notre sel. Aujourd'hui j'en connais rendus à quarante ans moi, qui ont jamais frappé coup, qui ont toujours vivoché aux dépens des autres, mais pas contents encore, y trouvent toujours le tour de se plaindre.

Si y avaient connu le fond de la Crise comme moi, y fermeraient leur gueule, pis y remercieraient le bon Dieu. Prenez la drave par exemple, la drave comme on la faisait nous autres, pas comme asteure. Aujourd'hui, une compagnie qui voudrait runner ses hommes comme on a été runnés: ça serait la révolte. Y a pas un homme qui resterait dans le bois. La première affaire de toutes, y aurait pas un homme dans les camps, parce qu'y en a pas un qui aurait assez de cœur dans le ventre pour faire vingt-cinq, trente milles à pied pour se rendre à l'ouvrage. Nous autres, on trouvait pas ça trop pıre. C'est rendu en haut que le vrai *fun* commençait. Huit, dix millions de pieds de bois à vingt-cinq, trente pieds du billot, carcule comment ça fait de billots à taponner, pour le *fun*. Y avait des jetées déboulantes de huit, dix mille billots. Fallait commencer par ôter la neige dessus. Ben souvent, c'était gelé en pierre, tout pris dans un pain. Fallait faire sauter ça à la dynamite. Aujourd'hui y poussent ça à la rivière avec des tracteurs : c'est pas forçant. Mais dans le temps, des tracteurs, des J-5, des *timber jacks,* des *muskegs* (le père Caron appelait ça les muscades lui...) y en avait pas. Tout ça se faisait à la mitaine. Le *can-dug* dans les mains du matin au soir sans slaque. Roule des billots, pis roule donc des billots. Pis fais attention de pas te faire poigner dans la jetée déboulante t'es pas mieux que mort. J'ai vu un gars partir à sloucer avec cinq, six cents billots au cul moi, pis se ramasser *fair* l'autre bord de la rivière. Pas de mal à part de ça. Un vrai miracle. Si y avait rentré en dessour, y aurait été mort avant de fesser l'eau.

Quand y avait assez de billots à la rivière fallait les suivre. Dans les *trails* le long de la rivière ou ben en *boats*. Temps en temps, y se faisait une *jam* dans les recoudes de rivière. Saute sur la *jam* mon gars, pis pique des billots : un coup sur l'épinette, un coup sur le sapin, un autre coup sur l'épinette pis encore, pis encore, la *brew* dans le toupet, pour venir à bout de défaire la *jam*. Des fois on en venait

52

pas à bout. Y arrivait plus de bois qu'y en partait. Ça se grimpait un par-dessus l'autre, cul par-dessus tête, mélaillé comme les cheveux dans la tête, dix, douze pieds d'épais. Là, la rivière se mettait à refouler, pis à gonfler. Fallait faire sauter ça au plus vite: placer la charge à la bonne place, parce que bien souvent y a rien qu'un billot crocheté de travers sur une roche qui tient tout ça là. C'est lui que faut pas manquer. Je te garantis que le gars qui allumait la ratelle te faisait des moyens sauts croches pour se clairer de là. Les billots montaient dret en l'air. Ça se mettait à craquer, toute la *jam* se mettait à se lamenter, à grouiller un petit peu pis, tiens bon, tiens fort, ça se mettait à se détaponner un petit peu; petit à petit ça prenait de l'erse, pis à un moment donné ça poignait le bord d'en bas, jusqu'à la prochaine *jam.*

Fallait carculer ton affaire comme y faut. Envoye des billots en masse quand y a de l'eau pis que la rivière fournit, mais slaque si les *jams* lâchent pas. Envoye-z'en pas trop sur la fin de la journée, parce que la nuit t'es pas un chat, pis le lendemain matin, tu veux pas avoir une *jam* d'un mille de long à démancher. Ludger embarquait sur son cheval de selle le matin, pis y débarquait le soir. Cours à un *spot,* cours à l'autre.

— J'ai assez de bois pour une secousse.
— Deux hommes dans le croche d'en bas.
— Descendez quatre à la *jam* de la Branche de l'Est.

Ainsi de suite douze heures de temps. À travers de ça, fallait draver les ruisseaux qui tombaient à la rivière. Fallait les vider au plus sacrant avant que l'eau baisse trop. Ça prenait des écluses de place en place pour ménager l'eau, pis en avoir quand t'en avais besoin. Quand on manquait d'eau, on téléphonait pour avoir une éclusée. Les téléphones... misère maudite... quasiment rien qu'une broche à foin crochetée icitte et là dans les arbres le long de la *trail*. T'avais toutes les misères du monde à te comprendre. Des fois, y étaient sept, huit sur la même ligne. À chaque fois que tu sonnais, tout le monde décrochait: tu perdais la moitié du jus. Un grand, un petit, un grand, deux petits; un petit, deux grands, ainsi de suite. Tout le monde venait mêler avec ça. Tu voulais le camp A, c'était le C qui répondait:

— Ôte-toi de dessus la ligne, c'est pas toi que je veux.

Tu resonnais encore une fois:

— Allô, les Fourches? Les Fourches? Me comprends-tu? Allô, les Fourches. C'est la Gueule qui parle icitte. Réponds-moi, baptême.

Zigonne de même une secousse, à force de forcer, tu venais à bout d'avoir le gardien. Y levait les pelles, pis t'avais ton eau.

Pis le lendemain, tu recommençais. Au commencement de la *run,* c'était pas pire, tu couchais au camp, mais une couple de jours après, c'était les tentes. Pas des tentes comme aujourd'hui avec des planchers, pis des *zippers.* Non! Des tentes simples, pas de plancher pantoute. Oubliez pas à part de ça qu'au mois d'avril dans la Gaspésie, y a encore trois, quatre pieds de neige dans le bois. La nuit ça descend souvent à quinze, vingt, des fois plus. Fallait fouler la neige à la raquette. Après tu pitchais ta tente dans le trou, tu coupais du sapinage en masse, t'en mettais deux pieds d'épais dans le fond de la tente, t'étendais tes couvertes là-dessus, tu prenais ton *packsack* pour te faire un oreiller, pis tu te sacrais là-dessus tout rond. Y était pas question de se déshabiller; on aurait gelé comme de la crotte de chien. Pas question de se laver non plus. Tu te lavais quand tu tombais à l'eau. D'autres fois, c'est la pluie battante qui te lavait. Au bout d'une couple d'années, les tentes étaient pas toujours étanches, ça fait que quand la pluie poignait, tu te réveillais le derrière dans l'eau. D'autres fois, quand ça tournait au fret dans la nuit, tu te réveillais le fond de culotte pris dans la glace: pareil comme une perdrix qui plonge dans la neige molle, pis se fait poigner par la gelée.

Le soir ben entendu, on faisait un feu devant la tente, pour sécher notre linge un peu. Là, le dos te gelait pendant que la face te brûlait. Tourne de bord: c'est le contraire qui arrivait. La pluie ressoudait? Le feu voulait s'éteindre, pis la boucane te faisait pleurer des yeux. On s'installait autour du feu, écrapouti sur une bûche, on se contait des peurs une secousse pour tuer le temps. Temps en temps, le vent se mettait à rafaler pis les tisons revolaient sur les tentes faire d'autres trous pour la pluie.

Vers huit heures tout le monde ronflait. Y avait une truie dans la tente. Tu la bourrais bien dure avant de te coucher, pis là tu crevais de chaleur, surtout ceux-là qui étaient couchés au ras. Quand y avait plus de bois, a s'éteindait comme de raison. Là tu gelais, assez pour avoir hâte que le jour se lève pour te réchauffer à travailler.

À la barre du jour, le *cook* hurlait: «*Lunch! Lunch is ready*». On sortait du nique, on s'étirait un peu pour se décramper, on se bourrait la face, pis on repartait pour la *jam*: pique le petit gris, roule la petite noire, encore, lâche pas. Plouf! Calvaire! V'là que je me suis encore saucé. La journée va être longue... Pourvu que je poigne pas mon coup de mort.... Si midi peut arriver pour que je me sèche au feu du lunch... Je dis midi... C'était plutôt dix heures, parce qu'à l'heure qu'on décollait, pis de la manière qu'on travaillait, à dix heures on avait la falle assez basse qu'y fallait manger. Quatre fois par jour pour toffer. Pis prenez ma parole, j'ai jamais vu un draveur engraisser. Un mois et demi, deux mois de ce régime-là, pis les gars arrivaient au bord clanchés, vannés, brûlés, morfondus, manqués ben raide. Y en a qui pouvaient pas toffer, y étaient obligés de jomper, y faisaient rire d'eux autres, mais je suppose que c'était mieux que de poigner la crève.

Mais vous allez vous demander comment on faisait pour descendre notre *stock,* nos tentes pis la *rigging* de cookerie, trente-cinq, quarante milles à travers du bois vert, à des places, dans des écarts où un chevreu avait de la misère à grimper? En *boat* de drave en partie, mais la cookerie était installée sur un *skow*. Un *skow* c'était une manière de cageux en bois rond : une quarantaine de pieds de long, une quinzaine de pieds de large. Le *cook* était installé là-dessus avec sa tente, son poêle, son *show boy,* son *lean-to,* les effets, toute la *rigging*. Y runnait pas le *skow* ben entendu. Y avait deux hommes, un à chaque bout avec chacun une *pole* d'une vingtaine de pieds collée dans le milieu du *skow*. C'est avec ça qui gouvernait. En arrière y avait une *drag*. C'était une grosse chaîne de trois quatre cents livres pesant, attachée en ballant sur le derrière du *skow* avec une corde. Dans les rapides, quand ça allait trop vite, qu'y risquaient de pas tourner les croches ou ben qu'y pouvaient pas s'arrêter pour s'installer sur une batture, le gars d'en arrière sacrait un coup d'hâche sur la corde, la *drag* prenait le fond pis a bréquait le *skow*. C'était beau à voir descendre. Le poêle allumé là-dessus, le tuyau qui crachait la boucane : ça faisait rappeler le petit train de la Baie. Le *cook* en train de cuire ses binnes ou ben son pain, le *show boy* en train de laver les assiettes ou ben d'éplucher les patates. Oui, c'était le *fun* à voir. C'était moins le *fun* quand ça chavirait par exemple. C'est arrivé. Pas souvent, mais une couple de fois. On n'a jamais perdu le *cook* mais les binnes, *you goddam bet.* Tu voyais ton lunch sloucer par en bas, pis tu te disais : on va manger maigre aujourd'hui. Pourvu que le *cook* crisse pas le camp en bas... Manquablement que si ça avait été le Gourmet

57

fort-feuillu, y aurait pris sa poche pis la *trail* pour le faubourg.

Les *boats* chaviraient eux autres aussi de temps en temps. Pis ça se comprend. Quand la rivière était ronde à pleines écarts, a charriait dix, douze milles à l'heure. Dans les rapides encore plus vite. Les Portes de l'Enfer, les Falls, le Devil's Elbow... Ça faisait frémir. T'arrivais là-dedans la graine serrée en maudit, tu peux me croire. Un bouillon blanc icitte, une aile de charrue là, un *boulder* en travers de la rivière dret dans ta face, un remous de l'autre bord... C'était comme la pensée, la première chose que tu savais, t'étais sauté. Le *boat* à moitié plein d'eau, tu venais à bout de t'arrêter sur une batture, tu te secouais un peu, tu revirais le *boat* à l'envers, tu le remettais à l'eau, pis envoye en bas encore un bout. Mais c'était pas la place des enfants d'école. Pis pas question de mettre des ceintures comme aujourd'hui. La première affaire, je pense qu'y en avait pas; pis à part de ça t'es tout embarré là-dedans: c'est pas travaillable avec un pareil harnois sur le dos.

Comme je vous ai dit, de temps en temps y en chaloupait un. Fessait une grosse roche en travers ou ben poignait mal un aile de charrue pis: *upside down.* Les gars ressoudaient de là, juste la tête en dehors de l'eau comme un rat musqué, pis là y grafignaient pour poigner une *pole* qu'on leur présentait... quand on avait le temps... Un coup, Vila, le frère à Ludger avait viré à l'envers avec son *boat.* C'était un gros

homme de six pieds, Vila, fort comme un ours.
Y ressoud sur l'eau avec quatre, cinq hommes
crochetés après lui comme une grappe. Y accroche une gaffe mais avec une pareille pesan-
teur au cul, le gars est pas capable de tenir tu
comprends, pis v'là ça parti par en bas.
— Lâchez-moi, cénacle, vous allez me neyer.
Lâchez-moi, cénacle.
Veux, veux pas on pouvait pas s'empêcher de
rire. T'entendais la grosse voix à Vila qui descendait:
— Lâchez-moi, cénacle! Lâchez-moi, cénacle!
Temps en temps, y venait à bout de mettre la
patte sur un aulne ou ben un saint-michel qui
pendait dans l'écart, mais y te strippait ça comme des marguerites. C'est ben beau rire, mais
lui y commençait à maganner, pis nous autres
on commençait à trouver ça moins drôle. Y vont
le caler, la Viarge, qu'on disait. Mais non! Un
moment donné, y est venu à bout de griffer un
petit bouleau de trois, quatre pouces planté
dans la *bank*. Une vraie patte d'ours! Y t'a
snobbé ça là monsieur ben net. Tu y aurais
coupé la main qu'y aurait pas lâché. Y a sauvé
tout le monde, mais y était assez en maudit que
je pensais qu'y allait resacrer toute la gang à
l'eau.

Un autre coup, Gérard Lévesque descendait
la Bonaventure dans un petit *boat* de vingt-deux
pieds. Y était avec un autre gars. Je me rappelle
pas qui c'était au juste. En tout cas... Fesse une
grosse roche qui barrait la rivière... Le *boat* casse en deux comme un allumette, pis v'là mes

deux gars partis par en bas chacun dans son bout de *boat*. La gang se tordait de rire.
— Envoyez les gars. Bauchez un peu pour voir qui c'est qui va arriver à la mer en premier!
Eux autres, y trouvaient ça moins le *fun* ! Quand y sont venus à bout de mettre le pied à terre, y avaient plus une maudite goutte de sang dans les veines. Y étaient blêmes comme la mort. D'après moi, y ont fait dans leur culotte, la Viarge !

Un coup, sur la Causapscal, une rivière ben roffe, ça été pas mal moins drôle. Six qui ont jamais remonté. Y les ont retrouvés à l'eau basse, des milles plus bas, crochetés en dessous des couennes, un icitte, un autre là, gonflés comme des balounes, enflés comme des chevaux morts, les yeux sortis de la tête, les cheveux tombés. C'était pas beau à voir. Le restant de cette drave-là, ça a pas ricané souvent, tu peux prendre ma parole.

Mais un emportant l'autre, en équipollent, on n'a pas été trop badluckés. On se sauçait souvent, mais y avait un bon Dieu pour nous autres: on en ressortait toujours. C'est quasiment pas croyable parce que la grosse moitié savait pas nager. Y avait des gros nageurs *all right*. Des gars comme Arthur Lanteigne, par exemple, Toine Emond. Ça nageait comme des poissons. Y ont plongé pas rien qu'une fois pour sortir les gars de l'eau, mais y en a un maudit tas qui se sont sauvés tout seuls. Moi je savais pas nager. On pensait pas à ça. Ludger non plus. Y a passé je sais plus comment de printemps sur

60

les billots. Y a bu debout pas rien qu'une fois, mais y est encore en vie, pis y a jamais compris qu'un homme aie peur de marcher sur un billot. Pourtant y a jamais voulu que sa femme y coude le scapulaire sur sa camisole, pis j'y ai jamais vu de médaille de Saint-Christophe dans le cou... Manquable qui devait parler au diable un peu...

Pis toujours, on avançait. Au fur et à mesure que la drave descendait, ça venait un peu moins pire. Les journées étaient plus longues, le soleil chauffait un peu plus à tous les jours, le temps réchauffait, la neige fondait, on gelait un peu moins, pis, petit à petit, on s'approchait du bord. Une bonne journée, on fessait les colonies. On commençait à voir du monde un peu. Une semaine, dix jours plus tard, on débouchait au désert : les terres faites, Lac Humqui, Saint Léon. De temps en temps, quand les habitants restaient pas trop loin de la rivière, on rentrait manger chez eux. On pouvait donner des nouvelles en bas, savoir un peu ce qui s'était passé. Des fois, y avait un mort qu'on connaissait comme y faut sur les planches. Les sauvages étaient passés de place en place. Des fois, un feu. Souvent, la neige était quasiment toute fondue : on pouvait pitcher notre tente sur le sec, ou ben dormir dans les granges, sur les tasseries. Ça, c'était le grand luxe. C'était pas toujours pareil; ça dépendait des rivières. À certaines places, le bois prenait quasiment à la mer. Là, t'étais dans la forêt *right through* du commencement à la fin de la drave : la Bonaventure, la Milnikeck, la

Nouvelle, la Cascapédia. Les draves là-dessus paraissaient toujours un peu plus longues.

Mais c'est pas tout ça: faut faire la glène asteure. Une petite gang dans les meilleurs hommes restait en arrière avec les runneurs de *boats*. Fallait ramasser tous les billots échoués à la traîne du premier au dernier, quasiment les reconduire un par un dans les *booms* de la Compagnie. Y étaient stricts là-dessus. C'était pas difficile pour eux autres de checker si notre ouvrage était ben faite. L'été, les grands *boss* arrivaient des États, de Montréal, de Toronto. Y atterrissaient sur le lac Causapscal, pis là, y prenaient la rivière en *boat* avec les guides pour la pêche au saumon. Y lunchaient sur les battures de place en place en descendant, pis là, quand même c'était-y rien que pour aller faire une *job* dans le bois, si par malheur y s'enfargeaient sur un billot resté à la traîne, t'en entendais parler... Quand y avaient la malchance de mêler leur ligne après un billot calé dans le fond d'un *pool,* le gérant manquait se faire sacrer dehors. Si y avait un saumon au bout de la ligne, là c'était les gros mots: «*Next time you're fired!*» J'ai pas besoin de te dire que des gars comme Farrel, East, Rocket, tenaient à leur *job*: ça fait qui te faisaient faire la tienne, tu peux me croire. La différence, c'est que toi, tu descendais pas souvent la rivière en tourisse. Pis c'était pas chanceux de mettre une ligne à l'eau. Manquablement que les poissons qui passaient en dessour des billots voulaient pas apprendre le français eux autres non plus: y mordaient rien qu'en anglais. Pour leur faire comprendre ta langue, fallait les seiner.

La *bunch* de la glène arrivait toujours en bas une couple de semaines après le gros de la gang, ben contents d'avoir fini, j'ai pas besoin de te le dire. On passait chez le *jobber* se faire payer. Dans les grosses *runs,* on venait à bout de s'arracher une centaine de piasses. Avec ça, on était gras dur pour l'été... Dire La Viarge! qu'un bon bûcheux se fait ça dans une journée aujourd'hui, pis sans se faire mourir à part de ça. C'est vrai que la piasse de 1930 valait cent cennes, mais quand même... en équipollent ça se compare pas pantoute pareil. Avoir travaillé toute ma vie à ces gages-là moi, je serais riche asteure.

Au moins par exemple, je gardais mon cent piasses. Je faisais pas comme d'aucuns qui rentraient à l'hôtel changer leur chèque, pis qui sortaient deux, trois jours après, cassés comme des clous. Y se saoulaient comme des cochons, buvaient leur paye jusqu'à la dernière cenne, quand y s'en faisaient pas voler la moitié. La Viarge! Avoir travaillé si dur! Avoir mangé de la misère comme des forçats, pis arriver chez eux C.O.D., pour faire pâtir leur famille le restant de l'été... C'était pire chez les jeunesses, faut dire; les gars mariés se watchaient plus, mais quand même... Moi, c'est ben simple, ça me mettait assez en Christ, que j'aurais tué le gars, pis sacré l'hôtelier en prison... Les gars malades, à part de ça, à restituer l'âme... Je parle pas des chamaillages, des chicanes, des batailles de chiens. Se varger comme des enragés jusqu'à s'estropier... Déchirer son linge de corps en guenilles... Battre des *chums* que ça te prend des années à parler avec après ça... Oui... C'était triste pas pour rire, mes amis. Pis j'ai vu ça pas rien qu'une fois.

Après ça, le *jobber* était obligé de leur bailler quelques piasses, de les backer jusqu'à la run de bois. Les marchands étaient obligés de leur vendre à crédit chacun leur tour, de leur faire du bon... dix cennes de gruau, une pinte de lait, un peu de *baloney,* une pinte de melasse, dix livres de farine, cinq livres de graisse, un peu de dur. (Ça pis la langue, y leur donnaient. Parsonne achetait ça.) Une couple de jours après, va chez l'autre magasin, fais marquer là une secousse. Le gars piteux sur sa galerie une grande été de temps qui ose quasiment pas manger, parce qu'y a fait un maudit fou de lui, pis qu'y a honte de regarder sa femme, pis ses enfants dans la face... C'est pas rien...

Oui... J'ai vu ça pas rien qu'une fois. Mais, je me suis jamais accoutumé. J'ai jamais été un braillard: tout le monde sait ça, mais voir les enfants pâtir la faim, ça m'a toujours tiré les larmes. Pis pour des bêtises de fou de même, ça m'a toujours mis le feu au cul, la Viarge!

Bon, la v'là qui ressoud avec son thermostat, elle. On pourra plus placoter. Avec ça dans la gueule... tu comprends... Pis avec les pilules qu'a me donne, a me planterait un coup de masse entre les deux yeux que je dormirais pas

64

plus vite. Ça fait qu'on pourrait pas jaser longtemps, *anyway*. On se reprendra demain. Bonsoir !

3

Ce printemps-là, (j'avais hiverné sur l'Abitibi), j'étais arrivé à Saint-Omer juste en temps pour faire mes Pâques. Je rentre au confessionnal. Le curé me remet... ben croire. Je m'écrase, pis j'y conte mon affaire. Pas grand'chose, tu penses ben... À part du sacrage, quel mal veux-tu qu'un homme fasse dans le bois, quand y fait son ouvrage comme y faut, pis qu'y est juste, autant avec ses hommes qu'avec son *boss*? Toujours que j'y conte mon histoire comme je viens de te dire, pis j'y demande l'absolution. Y dit:
— Vous m'avez bien dit tous vos péchés, mon fils?
— Oui, mon père, que j'y dis.
Mais y avait pas l'air sûr de son affaire. Y savait qu'en sortant du bois, fallait que je passe par la ville. Y pensait peut-être ben que je m'étais saoulé la gueule à Québec en passant. Mais, c'est pas mon *speed* de m'acheter des maladies dans les hôtels. Je dis pas que j'y mets jamais les pieds, mais jamais plus qu'un verre, deux au forçaille. Pis ça se comprend: y te vendent ça les yeux de la tête. Comme le coup que j'étais

parti de Cascapédia pour descendre chez nous
à Saint-Omer... Rendu au bord, je rentre chez
Alban Leblanc. Y tenait hôtel à Grand-Cascapédia, juste en face de chez Campbell. J'y dis:
— Donne-moi un gin.
Y poigne une bouteille sur la tablette, manière
de boursouffle galvanisée dans le bout de ça:
glou, glou, glou... Y me pousse ça devant moi...
Y avait à peu près la valeur d'un dé dans le fond
du verre, juste assez pour le cacher... J'envale
ça d'une claque, pis j'y demande:
— Comment je te dois?
— Une piasse.
    J'ai dit: « T'es poli ».
    J'ai sorti une peau de crapaud, j'ai mis ça
sur le comptoir, pis j'ai sacré le camp, sans tipper tu peux penser! À ce prix-là, un gin qui leur
coûte dix piasses, y le revendent pas moins que
quarante. Si y en a qui sont assez fous pour se
laisser pleumer: c'est leur affaire, mais moi, je
me fais poigner comme ça une fois de temps en
temps, pis à tout coup, je suis une couple d'années sans remettre les pieds dans un *grill*. Je
prends mon petit verre chez nous. Ça me coûte
meilleur marché, pis y a moins de boucane.
    Mais, c'est pas ça que le curé avait dans la
tête lui. C'est les créatures qui y travaillaient
l'idée. Y dit:
— Avez-vous fréquenté la mauvaise compagnie?
J'ai dit: « Oui ».
— Ah!
L'air content de me faire penser à un péché que
j'aurais oublié... ou ben, fier d'avoir été assez

smatte pour me diviner... y dit:
— Combien de fois?
J'ai dit: «Vous devriez dire: comment de
temps?»
Là, c'est comme si j'y avais crissé un coup de
masse entre les deux oreilles. Y a l'air bête. Y
sait plus trop quoi dire... J'ai pensé en moi-
même je te laisserai pas moisir plus longtemps:
t'as assez pâti comme ça. J'y dit:
— Oui, mon père, j'ai fréquenté les mauvaises
compagnies. Ça fait trois ans que je suis en Abitibi avec... pis j'arrête un petit peu... la C.I.P.»
Y a retroussé net: Choqué! Y dit:
— La confession, mon fils, c'est une chose sé-
rieuse.
J'ai dit: «Oui, mon père. Mais le mariage itou!
Pensez-vous que je me suis marié pour courir la
galipote, pis jeter ma gourme à la grandeur de la
province après ça? Non monsieur! J'ai jeunessé
en masse, mais avant le mariage. Depuis que j'y
ai mis la bague au doigt, Lida peut dormir tranquille. J'y ai jamais fait pousser de cornes». Y a
dit: «Tu diras un chapelet». Y m'a fait le signe
de croix sur la tête, pis je suis sorti de là.

À moitié en maudit, par exemple. C'est
comme si y m'avait pris pour un menteur, pis
ça j'ai pas aimé ça pantoute. Je conte des peurs
comme ça, mais pas au confessionnal, la Viarge!
C'est vrai que dans ce temps-là, y avaient rien
que ça dans l'idée, les curés. Y prêchaient rien
que ça, avec le sacrage, pis l'ivrognerie. J'ai jamais été ivrogne, ni maquereau. J'ai sacré mon
bout, mais j'ai toujours pensé que voler ton pro-

69

chain, le noircir comme du charbon, être ordilleux comme un paon, gaspilleux comme un carcajou, lâche comme un service-social, ou ben menteur comme un minisse, laisser crever tes vieux tout seuls comme des chiens galeux, laisser tes enfants s'élever tout seuls dans la rue comme des matous de ruelles, c'était péché itou.

Mais ça, j'ai jamais entendu prêcher là-dessus. Non. En autant que tu te montrais la fraise à la grand'messe tous les dimanches; que tu te saoulais pas la face comme un cochon; que tu sacrais pas trop; que tu courtisais pas les femmes de ta place, t'étais un bon catholique. En plus de ça, si tu mangeais le bon Dieu à la communion tous les dimanches, tu pouvais chier le diable le restant de la semaine: t'étais quasiment un saint, pis t'étais mûr pour faire un bon mardiller, rendu à soixante-dix ans. J'en connais une jolie gang qui ont fait ça toute leur vie moi, mais qui vont faire du vrai bon charbon d'enfer: garanti! J'ai jamais été un pic-bois de balustrade, pis je prétends pas que je suis du bois de calvaire. J'essaye pas de me faire passer pour un saint non plus, mais je carcule que si je suis pas sauvé après la vie que j'ai menée, y a pas plus de justice de l'autre bord que de ce côté icitte. Un homme dret, vaillant, qui aime sa femme pis ses enfants, qui respecte son prochain; c'est tout ce qu'y devrait avoir à mettre dans son *packsack* pour le grand voyage.

C'est pas ce que tout le monde pense, je le sais. C'est surtout pas ce que le monde pensait avant que les curés s'habillent comme nous

70

autres. Non. Dans ce temps-là, on aurait dit, des fois, que plus tu faisais de simagrées, plus t'avais de chances de te sauver. J'ai connu des bonnes femmes, moi, qui tenaient leur livre d'église comme les grosses compagnies tiennent leurs *ledgers*. Tout était carculé au poil. Ça, ça me donne sept ans, pis sept quarantaines : ça fait tant de jours que je brûlerai pas. Y empilaient ça comme Séraphin ses écus. On aurait dit qu'y voulaient entasser assez d'indulgences pleines-hier pour balancer l'éternité. Quand tu sais que ça finit jamais, je me demande quoi ça peut sacrer que tu commences à mesurer, *anyway.* Mais non, y étaient toujours saucées dans les bénitiers. Autant de cruchons d'eau de Pâques que de pots de confiture dans les armoires.

Faut dire qu'y avaient de quoi s'amuser, les dames de Sainte-Anne, pis les Patronesses... Y avait le mois de Marie, le mois du Sacré-Cœur, (pour pas qu'y soit jaloux de la Sainte-Vierge, manquablement) le mois des morts, le premier vendredi du mois, la prière du matin, pis du soir, l'angeluce, les grâces, les itanies, les neuvaines, le chapelet à la radio, (avec l'évê-que, tu pouvais pas manquer ça) le rosaire tout seul, le chemin-de-croix, les quarante-heures, les œuvres de miséricorde, le jeûne, les cendres, les râmeaux, les oraisons jacul...quéque chose là, la messe tous les matins, ben entendu, les Vêpres le dimanche, le Salut du Saint-Sacrement à travers ça, les nuits à veiller l'Ostensoir, les veillées au corps, les processions, les reposoirs, les retraites de paroisse, pis les farmées. Les barlans pour les œuvres, les courvées pour ceux qui avaient passé au feu, les femmes à relever, l'heure sainte. Ma foi du bon Dieu, pour suivre tout ça, pis rien manquer, y étaient à la course le ventre à terre dans la maison. Y avaient pas aussitôt fini leur besogne qu'y partaient à l'épouvante pour l'église. Y avaient le *coat* sur le dos, rien qu'une manche passée, qu'y s'apercevaient sur le trottoir qu'y avaient oublié d'ôter le tablier. Ça les empêchaient pas de chiâler, pis de manger le prochain, pis de faire damner toute la maisonnée à l'année longue.

Pis les retraites farmées asteure! Quand y revenaient de Mont-Joli ou ben de Cap-Noir, t'avais quasiment plus le droit de rire dans la maison. Pire qu'une communauté! Y étaient crinquées ben dure pour trois mois. Les enfants avaient fêté pendant que la mère était partie: y avaient viré les garde-robes à l'envers pour jouer à la madame; y avaient gaspillé une couple de livres de castonade pour faire du sucre à la crème; y s'étaient couchés à onze heures; y s'étaient risqués à mettre un petit peu de rouge, pis du cul-tex, mais quand mère supérieure ressoudait back à la maison, le régime changeait, tu peux prendre ma parole.

Surtout les filles. Les pauvres petites filles... Pas le droit de fumer, pas le droit de mettre les pieds dehors le soir, pas le droit d'aller au théâtre, encore moins dans une salle de danse ou ben un hôtel. Une femme qui mettait les pieds dans un hôtel, dans ce temps-là, passait pour une farlacque: automatique! Les bonnes femmes la montraient du doigt, parlaient tout bas dans son dos, changeaient de trottoir pour pas la rencontrer, pis défendaient à leurs filles d'approcher ses enfants, pis les enfants de ses enfants. Les hôtels, c'étaient les *lobbys* de l'enfer. Assez, que quand une femme voulait que son mari qui était en train de se saouler la gueule sorte de là, a venait pas le chercher tout seule. À l'amenait le plus vieux des garçons pour qu'y rentre à sa place, pis a l'attendait devant l'hôtel en tablier, ou ben en crémone. La moitié du temps, fallait qu'a sacre une volée au petit gars pour qu'y rentre. Tu comprends y avait peur de se faire botter le cul par son père. Ça fait que sa mère était obligée d'y passer un cham-poux pour le décider. Y rentrait, les fesses serrées, mort de peur :

— Papa ! Maman vous fait demander.

La gang éclatait de rire.

— À la maison ! Petit christ !

Pour l'aider un peu : un coup de pied dans le cul. Le flô était clair ; y pouvait dire que sa journée était faite. D'autres fois, le gars suivait. Y remontait chez eux en gambadant, son petit gars à côté de lui pour l'aider un peu ; la bonne femme en arrière, sur le trottoir de bois elle, qui le traitait de tous les noms. Mais, enragée tant que tu voudras, à l'osait pas franchir le seuil de l'hôtel. À se serait sentie salie. Rentrer là-dedans, même pour aller chercher son homme en brosse, c'était l'équipollent de descendre aux enfers.

Les hôteliers passaient ni plus ni moins pour des bandits. Y se faisaient prêcher en pleine

chaire. Y toffaient ça, les oreilles rouges : lieux
de débauche, maisons de vice, la malédiction
divine va s'abattre sur ces endroits de perdition.
Pauvres hôteliers! Y en ont-y fait chanter des
messes pour avoir la paix un peu : pour les âmes
du purgatoire, pour les infidèles, pour les biens
de la terre (même si y semaient pas un minot
de patates), pour les âmes les plus délaissées
(eux autres manquablement), pour les parents
défunts, pour grâce obtenue (un mois plus tard
pour l'amende). De temps en temps, pour pas
que ça paraisse trop, (ça venait quasiment gênant pour le curé), y en lâchaient une couple
unanimes.

Pis la lampe du sanctuaire, elle! Parlons-en
donc un peu. Les hôteliers la jobbaient du commencement de l'année à la fin. À runnait pas à
la cire, a runnait au gin, la Viarge! Pis ce qu'y a
de meilleur, c'est que c'était quasiment manière
d'encan pour la lampe. Le curé disait :

— Cinq dollars, pour la lampe du sanctuaire qui
brûlera cette semaine aux intentions d'un tel.
La semaine d'après, l'autre hôtel voulait pas la
manquer, tu penses. Six piasses! Avec ça, le
curé faisait bon an mal an du sept, huit pour un
avec sa lampe; surtout qu'a prenait deux, trois
semaines à brûler, mais qu'y la vendait tous les
dimanches pareil. Ça l'empêchait pas tous les
trois, quatre mois de lâcher la police après les
hôteliers : descente, saisie, amendes, des fois la
prison, quand le pauvre diable avait pas assez
de foin pour payer.

— Vous êtes pas raisonnable, monsieur le curé!
— Je vous comprends, mon bon ami, mais j'ai des plaintes. Je suis obligé de marcher. Mon évêque... Vous savez, je vous ai ménagé... J'aurais pu...

Le gars partait, encore ben content que le curé l'ait pas crissé en bancroute tout suite.

Mais, y avait pas rien que la lampe du sanctuaire. Elle, on va la laisser aux hôteliers. Dormez tranquilles: y s'en occupent correct. Mais nous autres itou, on passait au *cash*. Comme de raison, fallait payer la dîme, la capitation, la répartition. Ça, c'est d'équerre! Si t'as un curé, pis ça en prend un, t'es toujours pas pour le laisser quêter comme dans les vieux pays. Faut qu'y mange, pis qu'y ait l'air d'un monsieur. Un gars habillé en guenilles qui se promène sur un bicycle, me semble que t'as moins l'idée de le respecter. Je sais pas... je peux pas expliquer ça numéro un... mais prends les enfants par exemple: si y voient un curé habillé comme un quêteux, y vont aussi ben le prendre pour un quêteux, tu penses pas? Ça fait qu'icitte, on s'arrangeait pour que nos curés aient l'air à l'aise, aient l'air en foin un petit peu. Tiens par exemple: on leur crachait sans dire un mot, un beau cent piasses pour un service. On voulait pas rentrer pour rien dans le cimetière non plus. Cent cinquante, deux cents douilles pour un terrain de dix par dix, dix par quinze. Tu vas me dire: ça fait cher du pied pour la campagne. O.K., c'est peut-être ben cher un peu, mais oublie pas que quand les trompettes à Jerry Coe vont sonner, tu vas trouver ça bon marché en maudit pour avoir tes *chums,* la parenté, la famille, toute ta gang à la portée de la main. Je me suis toujours demandé, par exemple, comment un gars comme Grand-Louis allait s'amancher pour empêcher la chicane de poigner entre ses quatre femmes... C'est-y la première qui est en loi? C'est-y la dernière?... J'ai hâte de voir ça. Pour moi, y va se crêper du chignon. Le service anniversaire, c'est meilleur marché, ben entendu. D'abord, le corps est plus là, pis y a toujours moins de monde. Y a plus rien que tes vrais amis... une poignée; la famille, pis encore rien que ceux qui sont dans la place ou ben aux alentours, pis les vieilles chattes de sacristie. Ça fait jamais une grosse gang à plein.

Après ça, chaque année, le curé faisait sa visite de paroisse. Y se dérangeait pour venir te bénir chez vous avec toute ta famille : ça valait ben un dix, un cinq en tous les cas. Tous les mois que le bon Dieu amène, tu recevais ton Centre Saint-Germain. Ça te coûtait deux piasses et demie par année. C'est meilleur marché qu'Allô Police, tu penses pas? Pour aller à l'église le dimanche, pis pas être pris pour grimper dans le poulailler, ou ben attendre l'Épître, que la garde paroissiale te donne le banc d'un gars qui est parti à la chasse, fallait t'acheter un banc. Quand t'es tout seul, c'est pas trop pire, mais quand t'as la femme pis les petits avec toi, ça vient gênant un peu. Si t'es pas trop fier pour toi quand même t'es *lumberjack,* ça t'empêche pas d'être fier pour ta femme. La voir, debout en arrière de l'église à se faire écornifler en dessour du nez par le monde qui se retourne à chaque fois que la garde fait des sparages pour en faire avancer un, c'est pas ben plaisant. Pis t'as toujours peur de tomber dans le banc d'un gars qui ressoud à l'évangile pour te faire clairer son banc devant tout le monde. Chez vous je sais pas comment ça marchait, mais chez nous y vendait ça aux six mois, à l'encan. C'est-y pour te donner la chance de cracher le motton moins gros, une manière de finance deux termes par année: ou ben pour repoigner les encans pendant que les gars avaient encore le feu au cul de la dernière?... Je le sais pas. En tous les cas, tous les six mois, la chicane manquait poigner dans l'église après la grand'messe. Y en a qui voulaient les bancs d'en avant à tout prix.

— Laisse-moi le, Jos. Fais pas le fou! Mon grand'père l'avait quand y ont bâti l'église.

— La question est pas là. Je mets quatre-vingts, mets-tu quatre-vingt-cinq?

— O. K. Je le mets, le quatre-vingt-cinq! Si tu veux...

— Quatre-vingt-dix!
— Quatre-vingt-quinze d'abord! Si tu penses que je suis pas capable de t'accoter, maudit écœurant!

Le curé était obligé de s'en mêler. Mais y s'en mêlait pas tant que les cinq premières rangées

77

étaient pas rendues autour de cent piasses. Là, y disait:

— Ça suffit, mes amis. Allons, ça suffit. N'oubliez pas que nous sommes toujours dans le temple du Seigneur.

Bon vendeur pareil, le curé... Oui, après tout, un banc en vaut un autre, t'es pas au théâtre; pis dans celui-là d'en arrière, t'es pas pris dans la *jam* après la messe. T'arrives en dernier, tu parques ton char en dernier; tu sors en premier, pis tu pars en premier, ça fait que c'est toi qui es là le moins longtemps. Mais eux autres, y pensaient pas de même. Y s'ostinaient à mort. Probablement que c'était la gêne qui leur faisait faire ça. De même, quand y revenaient de communier, y avaient pas long à se faire écornifler. Peut-être ben aussi que c'étaient du monde ben pieux, qu'y voulaient être proches en masse, pour rien manquer... Va donc savoir ce qui se passe dans l'idée d'un homme... Y a un de mes chums, pauvre comme Job, qui allait plus à l'église. J'y ai demandé pourquoi. « Tant que ça va marcher de même, je mettrai plus les pieds là-dedans » qu'y disait. Sais-tu, j'y ai pas dit qu'y était correct, mais je l'ai compris à moitié...

Ceux-là qui avaient pas les moyens de s'acheter un banc, s'en clairaient pas pareil. Y avait une quête exprès pour eux autres. C'est le bedeau qui la faisait. Manquablement qu'y connaissait mieux le pauvre monde que les petits gars dans le chœur. Après, y avait la quête ordinaire. Pour pas avoir honte (c'était quasiment tout le temps le curé qui la faisait), le gars qui venait de payer son banc recrachait un autre dix cennes dans la tasse. Le curé y faisait un beau sourire. Le gars sortait content... le curé l'avait reconnu.

Quand les années sont venues meilleures, après la guerre'39, y a un curé qui a eu une idée bonne un peu rare. Y a dit à ses paroissiens:
— Vous trouvez pas que la quête fait un tapage à-faire-mal dans la maison du Seigneur? On va mettre un terme à cette coutume.
(Le monde s'est dit: dis-moi pas qu'y va enfin nous sacrer la paix avec c'te maudite quête-là!)
— On va désormais faire une quête silencieuse!
(Le monde se regardent, comprennent pas trop...)
— Mais oui! Une quête silencieuse, mes frères; celle que vous allez faire en ne donnant que de l'argent de papier!
À partir de ce dimanche-là, t'aurais pu entendre marcher une souris durant la quête: rien que des peaux de crapaud, aucun tapage dans la tasse. Ça tombait comme de la neige molle dans ton parterre... Mais malgré tout, c'est plus pesant que les thunes... Fallait y penser...

En plus de ça, à tous les derniers dimanches du mois, y semaient des enveloppes dans les bancs: aux trois messes. Dans la grande enveloppe y en avait quatre petites marquées dessus: Part de Dieu. (Comme si y nous avait déjà demandé quelque chose...) Le dimanche d'après, tu glissais une piasse là-dedans, pis tu remettais ça au vicaire, quand y passait avec la tasse. Y prenait pas d'autre chose, non! Chacun

sa *job* : le bedeau, les bancs; le vicaire, la part
de Dieu; le curé, la dernière quête: la celle à
Noël. T'en avais toujours un sur le dos, la Viarge! que t'avais de la misère à suivre la messe.
Au prône, le curé faisait les comptes. La quête
des bancs a rapporté, mettons... vingt-cinq piasses. La quête générale a rapporté deux cent quatre-vingt.

— Faudrait pas se relâcher, mes frères. Rap-
pelez-vous que celui qui donne à l'église, prête
à Dieu. Soyez assurés qu'Il vous le rendra au
sanctus.

Oua! De temps en temps, je levais la tête
entre les coups de clochette, pour sniker un
peu, au cas...

— La part de Dieu a rapporté la somme de trois
cent trente dollars. Au total pour la semaine
dernière: six cent trente-cinq dollars. Je vous
remercie de tout cœur, mais connaissant votre
générosité, j'ai confiance que vous ferez mieux
encore, la semaine prochaine.

Qu'est-ce que tu veux? La manière qui nous
demandait ça, on s'ambitionnait. J'ai vu monter
ça à mille piasses! Là, le curé était content! On
slaquait un peu: y se choquait. On regrimpait
ça; y nous remerciait un peu trop. On rebais-
sait: ça recommençait. On jouait au yo-yo avec
lui comme ça, mais c'est un petit jeu qui nous
coûtait cher, parce que ça finissait pas là. Tu
faisais sonner les cloches pour un baptême,
c'était dix piasses de la *shot*. Tu vas me dire:
d'ordinaire, c'est le parrain qui paye. Oui! Mais,
crains pas, y s'arrangeait toujours pour te rendre

la politesse. Faut pas oublier les messes. On entendait parler rien que des grand'messes : payées par un tel, chantées pour un tel. Les messes basses, pis surtout les trentains y se badraient pas de ça, y regarrochaient ça dans les missions.

En parlant de mission : y avait la Sainte Enfance. Un p'tit gars qui avait pas son Chinois à lui, comme son p'tit chien au bout d'une corde, filait pas ben. Y chiâlait après sa mère pour avoir des cennes. Ça en prenait vingt-cinq. Le Chinois était *cheap* dans le temps : le même prix qu'un gros Turret... Mais, on s'occupait pas rien que de la Chine, fallait penser au pape. Y paraît qu'y est à l'aise, pis pas mal installé à part de ça, mais ça fait rien ; y avait son dimanche lui itou. Pis fallait se planter. Imagine que si on y avait envoyé rien qu'une couple de cents... y nous aurait eus à l'œil. Fallait pas oublier notre évêque lui non plus. Y était pas plus chien que Boule. Ça fait que y avait son petit dimanche lui aussi. Pis, ben entendu pour les grosses dépenses imprévues, y avait les bingos, pis les tombeaux-là. J'ai vu un coup, ramasser au-dessus de dix mille piasses dans une petite place comme le Lac ! Pis pas hier, la Viarge ! En quarante, si je me rappelle ben. Dans ce temps-là, dix mille piasses, c'était du foin ! C'est encore du foin, la Viarge, même si ça vaut trois, quatre fois moins. Oui ! Y avait des curés à la piasse. D'autres moins, d'autres pantoute.

Le défunt monsieur Bouillon, par exemple. C'était un saint. Le monde respectait cet homme-là, comme y a pas un évêque aujourd'hui.

Je me rappelle quand son église a brûlé. C'était en '34, je pense, le printemps qu'on a dravé la Pelletier. Le feu a poigné comme la poudre. Dans le temps de le dire, la boucane montait deux cents pieds en l'air. Monsieur Bouillon a juste eu le temps de courir dans l'église, chercher les Espèces. Y est sorti, les flammes roulaient en arrière de lui. Tu peux penser que tout le village était rendu là. Y en a qui ont été le voir. Y braillaient:

— Monsieur le curé, arrêtez le feu, vous êtes capable!

— Si le bon Dieu a décidé que notre église brûlerait aujourd'hui, c'est pas moi qui vais m'opposer à sa volonté.

— Oui, mais... le curé de Saint-Léon, lui...

— Mes amis, le curé de Saint-Léon mène son affaire comme il l'entend...

Parce qu'y en a qui prétendaient que l'autre avait fait le tour des bâtisses avec l'Ostensoir, pis qu'y avait stoppé le feu dret dans ses pistes. Paraîtrait même, qu'y aurait dit à du monde qui sortaient leur ménage: «Laissez ça là, y a pas de danger».

C'est-y un miracle? C'est-y une histoire que les bonnes femmes ont engraissée en la taponnant chacun leur tour? Je le sais pas. C'est-y vrai, c'est-y pas vrai? Je le sais pas non plus. Ce que je sais, c'est que le curé Bouillon a pas voulu jouer avec le feu. Y l'a laissé faire, pis crains pas, y a fait une maudite bonne *job*. L'église a brûlé d'un travers à l'autre; le clocher s'est mis à branler, la cloche s'est mise à sonner, tout ça a basculé dans un vacarme d'enfer. Dans deux heures, tout était à terre. Une cloche qui sonne tout seule, ça fait drôle... C'était pas qu'une petite claque à recevoir en plein milieu de la Crise...

Après, y a été question de rebâtir. On laisse pas le bon Dieu dehors de même. Les mardillers voulaient un autre église à tout prix. Le gros docteur poussait fort pour rebâtir tout suite. Mais monsieur Bouillon voulait pas. Y trouvait qu'on avait pas les moyens. *Damn right* à part de ça! Mais la gang voulait pas comprendre, voulait rien savoir. Quand le curé a vu ça, y leur a conté une histoire. Je me rappelle pas ses mots par cœur, mais c'était à peu près ça: Y avait une église que la corde de la cloche était trop longue. Les mardillers convoquent une séance, pis se mettent après le curé pour hausser l'église, pour plus que la corde traîne à terre. Placotte, tiraille, gueulasse, c'était divisé. Le curé voulait pas, mais y venait pas à bout de convaincre tout le monde.

— Laissons-la traîner. Après tout, c'est pas un drame. Il s'agit d'être prudent pour que personne ne trébuche dessus. Pensez aux coûts de pareils travaux.

Et le reste, et le reste. Mais ça braillait pareil. Y avait un vieux mardiller dans le coin de la salle. Y disait pas un mot, y était trop gêné. Toujours y vient à bout de se décider. Y lève la main un petit peu, comme un petit gars qui veut aller pisser, à l'école.

— Oui, oui, mon ami, allons, parlez, soyez sans gêne. Nous vous écoutons, dit le curé.

— Monsieur le curé... si on coupait la corde... qu'y dit.

Monsieur Bouillon a dit: «On va couper la corde. On va bâtir un soubassement, pis quand on aura ramassé assez d'argent, on mettra l'église dessus».

Ça nous a coûté trente mille au lieu de trois cents. Autrement dit à peu près l'intérêt du capital qu'on avait pas. Le gros docteur, insulté noir, a jamais mis les pieds dans le soubassement, à part que pour les services. Y allait faire ses Pâques à Amqui.

— C'est pas une église! C'est pas digne du bon Dieu!

— Vous savez docteur, notre Seigneur s'est contenté d'un étable pour venir au monde. Il va se trouver très bien dans notre soubassement.

C'est ça que monsieur Bouillon y a répond. Pis, au lieu d'endetter sa paroisse jusqu'à la fin des temps, y a été chercher les pères du Saint-Esprit. Y ont bâti un juvénat de quatre étages pour leurs jeunesses qui prenaient la soutane. Ensuite de ça, monsieur Bouillon a bâti un hospice encore pas mal plus gros. Y a une couple de cents vieux de la place, pis des alentours qui attendent la mort là-dedans, ben logés, ben nourris, pis pas trop malheureux. Mais avant ça, monsieur Bouillon avait fondé sa communauté pour s'occuper des prêtres à la grandeur de la Gaspésie, pis prendre soin des vieux de l'hospice. C'était ça, monsieur Bouillon. C'est ça qu'y nous a coûté dans le temps de la Crise. Un homme de même, tu respectes ça. T'as pas le choix. Parce qu'y est capable de couper la corde... la Viarge!

Mais, on avait commencé tout ça en parlant des petites filles, nous autres. On les oubliera pas comme ça, les pauvres petites gueuses. On les a laissées, y avaient pas le droit de faire grand'chose. Y grandissaient entre les bonnes sœurs qui tenaient les cordeaux aussi raides que les curés, si c'est pas plus, pis les mères de famille qui les watchaient *steady* de leur bord: fais pas ci, va pas là, monte te coucher, habille-toi comme du monde: si ça a de l'allure des talons hauts à ton âge. Quand y commençaient à se shaper en créatures un peu, leurs petits frères les faisaient enrager ben noir, mettaient deux pommes dans leur sweater, pis se dandinaient dans leur face. Un bon matin, y se réveillaient femmes malgré eux autres. Nous autres: innocents, ben trop bêtes pour leur expliquer la vie, on disait: parle de ça à ta mère. Elle, a disait: « Badre-moi pas avec ça, c'est normal! » J'ai vu une petite fille, je dis une petite fille: quinze, seize ans avoir une claque de sa mère en plein dans la face, parce qu'a l'avait dit à sa tante qu'elle était réglée. La mère avait réglé ça tout suite elle: c'était une sale affaire, pis on en parlait jamais, en tout cas pas de même. On disait: ma femme est malade point, ou ben elle a ses affaires; ou ben elle est dans ses lunes, ou ben, le cardinal est chez nous: ça c'était propre. Avec des maudits raisonnements de fou comme ça, nos enfants se trouvaient tout seuls. Des fois, y se cherchaient une maudite secousse, par exemple.

Quand les petites filles commençaient à regarder par-dessus la clôture, les gars se mettaient à rôder autour de la maison. Y voulaient jeunesser un peu, mais les folies allaient pas loin : rentre à la maison, veille à la cuisine devant tout le monde, ou ben va-t'en chez vous. Quand ça venait sérieux, y passaient au salon. Mais c'était pas la place pour s'épivarder, là non plus. J'ai connu une bonne femme qui avait son système de miroirs pour watcher la game. A se berçait dans la cuisine mais la minute que le gars voulait coller sa fille un peu, a se dérhumait. Si y reprenait pas son bord de la barrure tout suite, la mère ressoudait dans le salon, pis a y laissait à savoir d'attendre de passer à l'église avant de taponner ses filles.

La moitié se mariaient pour sacrer le camp, pour respirer l'air du large, la Viarge! Y étouffaient dans les maisons. Y savaient pas toujours ce qu'y faisaient, des fois y savaient même pas comment faire un petit, mais *never mind*, fallait qu'y crissent le camp. Non, y avaient pas eu le temps de s'amuser ben fort. Pour apprendre à danser, fallait qu'y dansent avec leurs petites sœurs. Danser avec un gars, c'était péché mortel. Y a même été une couple d'années que les curés avaient pas le droit de donner l'absolution pour ça. Ma grand foi du Bon Dieu! L'archevêque gardait ça pour lui, s'il vous plaît! Le rouge à lèvres, c'était la peinture à putains. J'ai vu le curé Avril refuser la communion à une créature qui en avait. Y a passé le revers de la main sur la gueule, y a montré ça à tout le monde dans l'église :

— La peinture de Satan, mes frères! Va te laver, salope, avant de te présenter à la Sainte Table! Je pensais que c'te pauvre femme-là allait fondre de honte, pis de rage. A l'a pris la grande allée en braillant pour sortir. Je sais pas si a l'a remis les pieds à l'église, mais moi à sa place : jamais!

Le curé Avril. Ça, c'est à peu près ce que j'ai vu de plus fou en frais de curé. Ses retraites, c'était un vrai *show*. Le sermon sur le blasphème, ça faisait peur, la Viarge! Y te charriait en enfer à coups de fourche dans le cul, que la peur te poignait quasiment. Pis l'impureté asteure! Pis l'ivrognerie! Ah ça, c'était le clou! Les hôtels en restaient vides pour deux mois après. Y gesticulait, hurlait comme un possédé, fessait à grands coups de poing sur le bord de la chousse-creuse, sortait de là tout en nage. Quelqu'un qui voirait un pareil *show* aujourd'hui le ferait renfermer, ma foi du bon Dieu.

Oui, faut le dire, les femmes de mon temps faisaient une vie ben chétive. Leur *fun* finissait en même temps que les tétons commençaient à leur pousser. Tout suite après, c'était les robes à grand-manches, au lit à neuf heures, au couvent, à la maison, à l'église. Fais le ménage, tricote, reprise, repasse. Le courtisage : pas trop longtemps. Marie-la, ou ben lâche-la. Pis là, c'était les petits, la besogne, pis la religion. Ça faisait une vie pleine en masse, mais le *fun*...

plutôt rare. Y vieillissaient comme ça, avant leur temps; toujours pleines; échinées d'ouvrage, pis de scrupules; éreintées d'inquiétude pour leurs filles. Ah oui, parce que les curés les tenaient responsables tant qu'y étaient pas mariées. La minute qu'y en a une qui sortait de la maison, la mère se crevait à attendre le pire, a fermait l'œil rien que quand sa petite était rentrée. A t'y fallu qu'y les aiment leurs enfants pour toffer ça, sans rien dire.

Des fois, y en pouvaient plus:

— J'en ai déjà douze, monsieur le curé, on pourrait pas...

— Non, mon enfant. Ne vous dérobez pas à votre devoir. Et n'oubliez pas que les enfants, c'est la richesse et la joie d'un foyer.

Je veux ben croire, mais y a toujours une maudite limite à la joie. Rendu à la douzaine, y me semble qu'y auraient pu nous dire: O.K., correct là, vous avez assez ri comme ça. Mais non! Pis nous autres, les hommes... pas le diable plus fins. On aurait jamais fait un nœud dedans. On aurait pas craché à terre pour une terre en bois debout. Ah non! Tout le monde sait que c'est pas poli... On savait ça même dans notre temps... Mais c'était pas drôle pour les créatures.

Mais ce qui me fourre le plus, c'est que parsonne pensait à se révolter. Le curé avait parlé? Tout le monde prenaient leur trou sans rien dire. Pis là, ça s'est mis à changer petit à petit. J'ai vu venir ça. Ça a commencé à critiquer, à chiâler, à manger du prêtre. Aujourd'hui, le monde prend même plus la peine d'écouter, encore moins de répondre. Mais faites-moi pas dire ce que je veux pas dire... Je dis pas que c'est mieux de même. Avant, tu vas me dire, y seraient trop la vis. O.K. A l'a cassé itou, mais penses-tu que c'est mieux? Y a plus de contrôle pantoute. La moitié du monde met plus les pieds à l'église, se sacre de tout, divorce comme y change de chemise, craigne plus ni Dieu, ni diable. Non. On dirait quasiment que le bon Dieu est mort. Mais, y a une maudite gang de charlatans qui ont pris la place, par exemple.

Tu vas me dire, dans l'ancien temps, les curés vous ont tenu la face à terre. C'est peut-être ben vrai, mais en tout cas, y nous ont tenu la tête plus haut que le cul; pis je suis pas paré à en dire autant du système d'asteure. O.K. Y a des curés qui ont exagéré. Tiens, y en a même qui étaient pas toujours des exemples pour tes enfants, mais c'est pas une raison pour grimper dans les rideaux, te piler sur la poche, pis dire que la religion, ça vaut pas le cul. Faut pas oublier que dans la gang à Notre Seigneur, y avait Judas. Ça veut-y dire que Notre Seigneur était bon à rien?... Pense à ça un peu, pis tu vas voir... Je te demande pas de penser comme moi, mais demande-moi pas non plus de penser comme toi, si tu penses pas comme moi.

4

Suffit que je suis à l'hôpital comme ça, tout seul à rien faire, après avoir travaillé toute ma vie, je m'ennuie à mort, tu peux penser. Des grands bouts je me parle tout seul! Les gardes vont penser que je suis troublé, mais je m'en sacre. Je vas faire comme si vous étiez ma visite, pis je vas vous conter comment ça se passait dans les chantiers y a une cinquantaine d'années. Je peux pas vous parler d'autre chose: je connais pas ça. Y a rien que le bois que je connais.

La première affaire de toutes, fallait installer les campements avant que les neiges prennent. On prenait le bois, avec tout ce qu'y faut: de la *grub,* bien entendu, des outils, du clou, des vitres pour mettre dans les châssis (tu trouves pas ça dans le bois); des tentes, parce que fallait ben coucher quelque part avant que les camps soient debout: un poêle, la batterie de cuisine; pour couper court: toute la *rigging* pour une douzaine d'hommes.

On prenait les chemins de wagines pis on montait comme ça, vingt, vingt-cinq milles plus haut, des fois plus. Deux, trois charpentiers à bord; un homme d'écurie pour soigner les chevaux qui partageaient, pis skiddaient les billots; un *cook* comme de raison; pis des bûcheux. C'était pas la route nationale. Fallait coteiller pour grimper les montagnes. Dans les fonds, fallait souvent pousser parce que c'était swompeux. On se mettait un par roue, on se poignait après les rais, pis on forçait là-dessus en virant, pour aider les chevaux. Sur la Causapscal surtout c'était roffe, savaneux, pis limoneux tant que tu voulais. C'était ponté des arpents de long. Temps en temps, y a un pontage qui cassait. On défonçait, on s'embourbait, les chevaux restaient sur la charge. Fallait décharger pour leur donner une chance, pis recharger une fois la wagine rendue sur le solide. Mais, on venait à bout de se rendre.

Le *jobber* ou ben le *foreman* avait choisi la place de camp le printemps d'avant, à la raquette quand la neige marchait ben. Y plaquait l'emplacement comme y faut; tu pouvais pas te tromper. Y choisissait une place aussi planche qu'y pouvait, à côté d'un ruisseau ou ben d'une rivière où y avait du bois en masse comme de raison! Y était pas question de courir après le bois pour bâtir. On bûchait un *spot* de trois, quatre cents pieds carrés, pis on sauvait du bois, égal, autant que possible huit, dix pouces de gros pour bâtir, parce que tout ça se faisait en bois rond. On coupait les billots vingt, vingt-cinq pieds de long, on les knatchait dans les bouts; une *knatch* à l'envers, une à l'endroit, pour que les billots tiennent un par-dessus l'autre. On posait ça sur notre carré de camp qu'on avait fait en grosses pièces équarries à la hâche à équarrir.

On faisait des couvertures doubles pour empêcher le resuage: des couvertures en *shed* la plupart du temps. Par-dessus la première couverture, on mettait à peu près un pied d'épais de terre pour que ça soit ben isolé. Par-dessus la deuxième, on mettait de l'écorce de bouleau pour que ça reste ben étanche. Ensuite de ça, on galfettait nos billots avec de la mousse pour garder la chaleur, pis pas voir la lune à travers les fentes. On perçait les châssis, la porte; on faisait un plancher en barattins, pis l'affaire était réglée. Un camp de même, ça pouvait toffer cinquante ans.

On bâtissait deux, trois grands camps pour une cinquantaine d'hommes chaque; une cookerie pour une centaine d'hommes, dix par table; une écurie pour cinquante, soixante chevaux; une boutique de forge, un office avec la *warehouse* à même, pour les provisions pis le *stock*. (Fallait tout avoir dans le bois depuis le *painkiller* jusqu'aux attelages à chevaux, les outils, le linge, le tabac, toute). En plus de ça, y avait un camp pour les colleurs, un pour le *boss*, (des fois, on en faisait un pour le forgeron pis l'homme d'étable), une cave à patates, une soue à cochons, une *shed* à foin, une pour les sleighs. C'est à peu près tout. Quand c'était fini, ça ressemblait à un petit village.

93

Dans les premiers temps, on couchait dans les beds à bœuf. Un *bed* à bœuf ça, c'était une manière de boîte qui partait d'un bord du camp pis qui runnait *right through* jusqu'à l'autre bord. Si le camp avait quatre-vingt pieds de long, le *bed* en avait autant. Sais-tu que ça commence à faire manière de *fine* petit ber... C'était une plate-forme en barattins de six pieds et demi jouquée à peu près deux pieds de terre. Des fois, on les faisait à deux étages. L'étage d'en haut arrivait à peu près à deux pieds et demi du plafond. Les gars se glissaient là-dedans la tête la première, pis ressortaient du reculons. Pas moyen de s'assire là-dedans.

Quand le frémage était bâti, on coupait du sapinage huit dix pouces de long pis on plantait ça entre les barreaux. On paquetait ça ben serré. Pour une dizaine de jours, ça faisait un pas pire matelas, mais le sapin ça chesse vite pis ça perd ses aiguilles. C'était pas long que t'avais les flancs marqués par les nœuds sur les barattins.

Dans les premiers temps, fallait monter nos couvertes. Pour se faire un oreiller, on prenait une poche vidante d'avoine pis on volait une galette de foin au jobbeur pour mettre là-dedans. Fallait se watcher parce que si y nous avait pincé, on aurait pris notre poche.

Les paillasses c'est venu plus tard pas mal. Pis la grande couverte qui faisait la largeur du *bed* itou. On appelait ça un *spread*. On couchait côte à côte là-dedans, vingt-cinq, trente par étage. C'est ça qu'était un *bed* à bœuf. Ça fait ben

94

longtemps que j'en ai pas vu, mais ça me fait pas de peine.

Quand je pense qu'on avait pas d'eau à la champlure, pis qu'on se lavait au petit bassin, j'ai pas besoin de te dire que ça puait le quêteux fatigué là-dedans. Tu comprends, une dizaine de bassins pour une gang de cinquante hommes!... En tout cas, si la crasse aurait fait mourir, les *lumberjacks* de ce temps-là auraient tombé comme des mouches. Mais non! On engraissait là-dedans comme des cochons dans la soue. Si y avait un cochon dans la gang, pis crains pas, y en avait toujours au moins un, au bout d'une couple de semaines, tout le monde était plein de poux. Quand y étaient trop voraces, tu tournais ton corps à l'envers. Le temps qu'y le traversent, t'avais le temps de te rendormir... des fois. C'est depuis ce temps-là qu'y parlent des gars habillés en six-pâtes de chantier: un rang de poux, un rang de guenilles... La seule manière de se clairer des poux, c'était de se rouler dans une couverte à cheval. Je sais pas si c'est la pesse mais les poux traversent pas ça. T'avais beau être propre, t'étais jamais capable de rester net là-dedans. Surtout qu'y en a dans la gang qui se changeaient pas de la *run*. La Viarge! La combinaison blanche venait grise, pis jaune, pis brune, pis plus de couleur pantoute: un vrai maudit nique à vermines. Mais crains pas la glace, ces maudits cochons-là ronflaient là-dedans.

À part de la cookerie, tous les camps étaient chauffés avec une truie. On faisait ça avec un *drum* de quarante-cinq gallons vidant de gaz. On perçait un trou d'une quinzaine de pouces carrés dans un bout, pis on collait le morceau avec des ferrures, pour faire la porte. On faisait un *rack* en bois une couple de pieds plus long que le *drum,* un peu plus large itou, on le collait à terre, on le remplissait de terre pour pas sacrer le feu dans le camp, pis on couchait la truie là-dedans. Un autre petit trou dans le bout du *drum* pour mettre le tuyau, une *plate* de fer plate deux pieds de large trois pieds de long collée là-dessus: ça faisait un poêle numéro un.

Pis ça chauffait, nom du père! Quand tu remplissais ça de bûches d'épinette sec de trois pieds, a en grondait. A venait rouge comme un tison à la grandeur. Les gars disaient: « La truie est en chaleur. A veut le verrat, la Viarge! » Ceux-là qui couchaient proches, en rôtissaient quasiment. C'était le fun de ceux-là qui couchaient dans les bouts du camp, de la paqueter ben dur, quand les autres dormaient. Ça se réveillait en sacrant, c'était un vrai *show* des fois.

— Si j'en poigne un calvaire à fourrer la truie la nuitte: y est mort. C'est ben compris, gang de christs. Je dormirai pas de la nuitte, calice de tabarnaque: mes poux sont toutes réveillés asteure!

Dehors, c'était pas le diable plus moderne. Y était pas question de scie à chaîne: y avait même pas encore de *bucksaw*! On coupait le bois à la hache, des grandes haches à deux taillants. Un bon bûcheux coupait ses cent billots par jour. C'est vrai qu'y avait du bois tant que

96

tu voulais. C'était planté comme les cheveux sur la tête. La plupart des places avaient jamais été bûchées: des vrais jardins! Dans le gros bois, dans le pin par exemple, on sciottait au godendard. À deux hommes. Une petite bouteille d'huile de charbon sur la chousse. T'en mettais quelques gouttes de temps en temps, pour que la lame serre pas trop, pis envoye donc: je m'en vas, je m'en viens. On bottait en seize pieds, un peu de douze dans les *tops*. On toppait à huit pouces au petit bout. Le reste pourrissait à terre: un vrai maudit gaspille. Plus tard, vers les années '30, le *bucksaw* est arrivé. Les lames coûtaient une piasse et soixante-quinze chaque. T'avais une piasse et vingt-cinq la corde, pleumée s'il vous plaît. C'est te dire que fallait pas casser trop de lames. Ma première semaine, je bûchais deux, trois cordons par jour pis je cassais quasiment une lame par jour. Les gars m'ont dit si tu continues de même, tu vas être obligé de t'en aller chez vous C.O.D. à la fin de la *run*. Tant que j'ai pas appris à limer comme y faut, j'en ai arraché. De temps en temps, je faisais limer ma scie par un gars accoutumé, mais fallait y donner un paquet de tabac par limage. Tu vas me dire le tabac coûtait rien que dix cennes du paquet, mais à une piasse et vingt-cinq la corde, fallait le ménager lui aussi. Quand on avait la chance de trouver un ressort de grafophone on coupait ça pis on limait ça, deux dents, un *wrecker*. Ça faisait des scies extra, c'était raide, pas cassable.

Quand on bûchait sur les billots, fallait buncher ça le long des *trails* pour les skiddeux. Y arrivaient avec un cheval, passaient la chaîne à twitcher autour d'une couple de billots pis descendaient ça au rouloué. «*Gee* Tom! *Gee*! Ma maudite tête de cochon, tu vas goûter de la chaîne si tu te domptes pas. Hue! Dia! y comprenaient pas ça. Non. C'était des brancos de l'Ouest qu'on domptait, pis y avaient ben de la misère à apprendre le français. Ouo! *Backup*! *Gee*! Ha! *Get up*! C'est à peu près tout ce qu'y comprenaient. Les charretiers avaient beau leur sacrer par la tête du matin au soir y apprenaient pas le français... Mais farces à part, y avaient des chevaux terriblement ben domptés. Y skiddaient pas de corbeau. Ouo! *Gee*! Ha! Y arrêtaient, allaient à gauche, à droite, au commandement. J'en ai vus, ben plus fins que leurs charretiers, garanti! Rendus au rouloué, y arrêtaient; pis, à la bonne place s'il vous plaît! Le gars déchaînait, le cheval revirait de bord, remontait la *trail* au grand pas, arrivait à la bunch de billot, revirait de bord, pis se plaçait tout seul, en attendant que le charretier ait fini de rouler ses billots. Y en a d'autres, par exemple... pas domptables. Les charretiers venaient enragés noir. C'est là que j'ai compris pourquoi les curés engueulaient en chaire les gars qui sacraient «comme des charretiers».

Je suis pas mieux qu'un autre: j'ai sacré mon bout, mais j'ai jamais été mal engueulé avec les affaires de la religion. Mais j'ai vu des gars sacrer à faire dresser les cheveux sur la tête. Y faisaient à moitié peur, La Viarge! Des vrais damnés sortis de l'enfer... J'en ai vu un, moi, ôter son chapeau, le tourner à l'envers sur une chousse, s'assire à côté, pis commencer à sacrer. Tous les saints du ciel y passaient, toute la *rigging* de la sacristie... Là, y se levait, regardait dans son chapeau: « T'es pas encore assez plein » qu'y disait. Y se rassisait encore une secousse, pis sacre donc, mon Tit Louis. Y regardait encore dans son chapeau: trois, quatre fois de même. Quand y le trouvait plein à son goût, y tombait dessus à grands coups de hâche. Son chapeau était pareil comme de la dentelle. Je vous le dis, j'avais à moitié souleur. Je me disais, ça peut pas durer, la Viarge! Le Bon Dieu va l'écraser sur sa chousse, je peux pas croire. Mais non! Y est toujours en vie.

D'ordinaire, un skiddeux hâlait le bois de deux bûcheux aux grands chemins, pis le pilait sur les roules: cinq, six cents billots du roule. Quand y avait fini on écrivait notre nom sur le roule à la saguine, pis le colleur venait prendre la *scale.* On travaillait à la *job* à tant du mille pieds. Le colleur mesurait notre roule, nous donnait un *scale bill.* Y nous restait plus rien qu'à carculer par le prix du mille pieds, pis on savait les gages qu'on se faisait. Ben entendu, la majorité des gars disaient que le scaleur était un maudit voleur. Le *jobber* lui, trouvait toujours son colleur correct. Va donc savoir... Y paraît que là comme ailleurs, y en avait des drets, pis des croches. Pour ma part, j'en ai connus qui étaient drets comme l'épée du roi. C'est pas toujours ceux-là que les gars aimaient. Le père Ludger Gagnon, par exemple. Je suis certain qu'y aurait lâché le *boss* qui y aurait demandé de peser sur le crayon en sa faveur. N'empêche qu'y a des gars qui le traitaient de voleur. Y avait pas un poil sur le caillou, le bonhomme. Une journée qu'y sortait nu-tête de la cookerie, le soleil y fessait sur le coco que ça en brillait. Lucien Brousseau le regarde venir de loin. Y dit: «Regardez-le, les gars, regardez-moi c'te vieille christ de tête nickelée». Je l'ai pas trouvé trop poli de dire ça d'un homme trois fois son âge, mais j'ai trouvé la *shot* bonne. C'était pas mal ça.

J'en ai connu d'autres par exemple, que c'était pas du bois de calvaire, *no sir*! Assez croches pour pas être capables de se cacher en arrière d'un virebroquin. Y se faisaient payer par le *jobber* pour couper la *scale* des bûcheux, pis après, y se reviraient de bord et pis se faisaient payer par les bûcheux pour fourrer le *jobber*. Mais sais-tu qu'en définitive, ce qu'y avaient ôté aux bûcheux pour donner au *jobber,* pis ce qu'y reprenaient au *jobber* pour redonner aux bûcheux, ça averegeait à peu près planche. Ça fait, qu'en fin de compte, y mesuraient juste... Mais y étaient croches pareil, pis plutôt deux fois qu'une. En tous les cas, les colleurs avaient leur petit camp tout seuls, pis y a pas grand monde qui les invitaient à jouer aux cartes.

Parce que ça jouait aux cartes dans les chantiers. Le soir un peu, mais surtout le dimanche.

100

Y en a qui embarquaient à la table le matin, pis lâchaient pour se coucher le soir. Ça jouait au bœuf, au 500, à la dame de pique, aux quatre sept, au neuf. Des fois au *bluff* mais pas souvent. On avait quasiment jamais un *token* dans nos poches, pis les curés qui montaient dans les chantiers pour la mission, prêchaient le *bluff* assez raide que les gars forçaient pas, les amateurs étaient rares. Plus tard par exemple, ça a changé. Je sais pas si c'est un adon, mais j'ai remarqué en vieillissant, que plus le monde a d'argent, moins y ont peur des curés... Je sais *goddam* pas pourquoi?

Ceux qui jouaient pas aux cartes, tiraient au poignet, à la jambette, au renard, coltaillaient, faisaient des tours de force, essayaient de charger le quart de lard. Y en a qui dansaient la gigue simple, jouaient de la musique à bouche. De temps en temps, y avait un violonneux qui montait son violon. Y accompagnait les gigueux. Les autres se contaient des peurs; des histoires de cul un peu. Y en a qui écrivaient aux créatures, les jeunesses à leur blonde. Y en a quelques-uns qui se lavaient, lavaient le linge.

Y en a même qui reprisaient. Mais, tu comprends, accoutumés à manœuvrer le godendard, y avaient pas la main à l'aiguille. Le dé leur rentrait quasiment pas dans le petit doigt, ça fait qu'y martyrisaient plus qu'y raccomodaient. On limait nos haches, nos godendards. D'autres faisaient la trappe un peu; poignaient du vison, de la martre, de la loutre, du castor. Y en avait un, deux *poachers* qui visitaient les ravages. Temps en temps, on mangeait de l'original, du chevreu. Y avait même du caribou dans ce temps-là, un peu partout dans la Gaspésie. Ça changeait le régime, c'était mauditement meilleur que le *corned beef*. Y en a d'autres qui regardaient le grand chemin des heures de temps, pis se levaient pour ouvrir le calendrier... Pas besoin de te dire ce qui leur trottait dans la tête... Pis le dimanche s'étirait comme ça... tranquillement... pas vite... T'étais content de te coucher, pis de te ratteler pour six jours. Pendant ce temps-là, t'avais pas le temps de t'ennuyer, au moins...

Les charretiers arrivaient aux rouloués avec les times pis les *sleighs* doubles. C'est eux autres qui hâlaient à la rivière, aux lindennes, le bois que les skiddeux avaient pilé le long des grands chemins. Pour faire nos lindennes, on choisissait des places à pic assez, pour pas avoir de misère à mettre le bois à l'eau, le printemps d'après. On pilait ça vingt, vingt-cinq pieds d'épais; sept, huit cents pieds de long. Tout le bois s'en venait là, à part de celui-là qu'on empilait le long des ruisseaux dravables. Mais je vous conte tout ça à l'envers moi. V'là le bois rendu à la rivière, pis on l'a pas encore charrié...

La première affaire de toutes, fallait pelleter la neige sur les rouloués, pour que les billots soient prêts quand les charretiers arrivaient. Ça, c'était l'ouvrage des pelleteux. Y avait plusieurs gangs qui faisaient rien que ça. Y a des hivers, c'était pas trop pire. Mais d'autres, par exemple, y étaient enterrés. Ces hivers-là, y pelletaient à s'échiner des grandes semaines sans arrêter. Huit, dix pieds d'épais de neige au bout des roules. J'ai vu pas rien qu'une fois, avoir assez épais de neige, que les gars étaient pas capables de swinger leurs pelletée *fair* en dehors du trou. Y étaient obligés de pelleter ça en deux étages. Vous allez dire: pousse pas trop, Ovide... Mais, c'est la vérité vraie. J'pourrais vous montrer des portraits de ça. J'en ai gardé dans mon album de chantier.

Fallait ben le faire hein? Les charretiers arrivaient avec leurs times pis chargeaient les billots sur les *sleighs,* dix pieds de large, douze, quinze pieds d'épais. Y en roulaient tant qu'y pouvaient, pis y toppaient ça au montereau. C'est pas croyable les charges qu'y chargeaient. Y en mettaient plus que sur un *truck. Sure bet*! Faut dire, par exemple, que les chemins étaient glacés. Y avait une gang pour s'occuper du glaçage. On installait des grosses *tanks* en bois de mille, douze cents gallons sur une *sleigh*, pis on remplissait ça avec un *drum,* un quart vidant de lard, crocheté après une chèvre. Quand la *tank* était pleine, le tankeur passait par les chemins pour les arroser. Ça venait à la glace vive. Une fois que la time avait réussi à décoller sa charge là-dessus, ça marchait tout seul. Mais ça prenait des chevaux ferrés avec des crampons à glace, pis des chevaux qui frappaient franc. De temps en temps un trait pétait, on ben une attelle de collier.

Mais c'était beau à voir charrier. Vingt, vingt-cinq times de beaux chevaux, avec des pareils voyages au cul, qui descendaient à la rivière, les charretiers perchés là-dessus avec un grand *black snake* d'une douzaine de pieds de long à la main... De temps en temps, y faisaient péter le fouet, pour faire rappeler aux chevaux qu'y étaient là. Ça claquait comme un coup de fusil. T'entendais venir ça d'un mille, les lisses qui se lamentaient sur la glace, les charretiers qui criaient après la time. Des fois, la mise allait chercher la croupe du cheval qui s'accotait pas franc dans le collier. Fallait pas que le bacul leur traîne dans les jarrets: «*Steady Bob, steady!*» Si le cheval répondait mal: flac! Pis oubliez pas dans vos prières, qu'y a des charretiers qui fendaient le cuir d'un cheval rien que d'un coup de fouet. Le sang sortait en dessour de la mise à tout coup. Jim Roussel lui, y pouvait couper ses deux chevaux du même coup. Y te leur croisait la mise sur le dos en arrachant ça par en arrière: le poil brûlait net. Y fessait pas souvent, mais quand y décidait de faire grouiller Tom pis Bob, y en demandaient pas un autre coup, tu peux me croire. Jim, c'est à peu près le meilleur charretier que j'ai connu avec Ulric, le frère à Ludger, pis Octave Thibeault. Ces trois hommes-là fendaient une poche d'avoine d'un coup de *black snake*. J'en ai jamais vu d'autres capables de faire ça. Un homme de même avec un fouet à la main, y est quasiment aussi dangereux qu'un autre avec un fusil. Parce qu'y mettaient la mise où y voulaient à part ça. Pour se pratiquer, y plantaient un clou après le mur, y graissaient la tête avec de la peinture, pis essayaient de torcher la peinture avec la mise du fouet. Pis crains pas, y en venaient à bout. Mais c'étaient pas des vargeux de chevaux. Non, leurs bêtes engraissaient à l'ouvrage, avaient le poil comme du velours, pis étaient fringants jusqu'à la fin de la *run.* C'étaient des hommes fiers sur leurs harnois à part de ça. Les pitons de sellettes, pis d'attelles de collier frottés au Brasso s'il vous plaît. Ça shinait au soleil. C'est à qui serait le mieux attelé. La queue du cheval tressée monsieur, avec une petite boucle rouge dans le bout. C'était leur fierté, des beaux chevaux.

Y en a d'autres, c'était pas pareil pantoute: des vrais cimetières à chevaux. Fesse pis sacre, mais donne jamais une chance au cheval. Attelé tout de travers, un trait plus court que l'autre, le *pad* raboudiné dans le collier... Le cheval se blessait, ben entendu! Après, y pouvait plus tirer franc. Dans ce temps-là, le cheval s'estropie. Mais eux autres y s'en sacraient. Y arrivaient le soir à l'écurie, garrochaient les attelages sur le *rack,* pis envoye au camp. Jamais un coup d'étrille, jamais de bleu pour soigner une plaie, non! Fallait que l'homme d'écurie fasse tout ça pour eux autres: réparer leur harnois, feeder leurs chevaux, les étriller, leur mettre leur couverte, les faire boire. Ces marâtres-là pouvaient te tuer une belle time de chevaux dans un hiver si tu les laissais faire. Fallait se choquer, pis leur parler dans la face une bonne fois pour toutes. L'homme d'étable, c'était pas un chien, la Viarge!

Soigner une soixantaine de chevaux, rentrer son foin pis son avoine, faire boire, charrier l'eau, réparer ses harnois, amener ses chevaux à la forge, les soigner quand y poignaient le souffle ou ben la gourme. Y arrêtaient pas. C'était de cinq heures du matin à neuf, dix heures du soir. De temps en temps, on en perdait un. Purésie, les *black waters.* Au commencement de la *run,* fallait watcher pour la paralysie, les décoller tranquillement à l'avoine, faire attention pour pas qu'y se pansent dans les ruisseaux glacés, attendre qu'y soient rafraîchis pour les faire boire. C'était de l'ouvrage, pis de l'attention. Un bon homme d'étable, ça avait pas de prix pour un *jobber.* C'est peut-être ben pour ça qui y donnait rien qu'une piasse par jour...

Le forgeron, ben entendu, ferrait les chevaux mais c'est pas tout. Y réparait les *sleighs,* les *can-dugs,* les gaffes, les attelles de collier, tout ce qui était en fer ou ben en bois. Y arrêtait pas lui non plus. Le marteau ou les tenailles à la main du matin au soir, pis souvent après souper, y se balançait à côté de son établi, en pompant son soufflet de la main gauche, pis quand son fer était assez chauffé, fesse sur l'enclume. Les étincelles te passaient chaque bord de la face, ça sentait la corne brûlée pis le bois chauffé. Moi j'ai toujours aimé m'écraser dans une boutique de forge pis regarder travailler un forgeron adret.

Une fois comme ça, Jos Larouche avait absolument affaire en bas. Mais ça faisait au moins trois semaines que Ludger le remettait d'un samedi à l'autre. Un bon vendredi, Jos dit:

— Ludger, je descends demain.

— Fais pas le fou, Jos, toffe encore une semaine.

— Ya pas de fais pas le fou. Ça fait un mois que tu joues avec moi comme un chien joue avec sa queue, mais là c'est fini. Demain, c'est en bas!

— Vas-y, maudite tête de cochon!

— Oui, calvaire, que ça fasse ton affaire ou pas!

Le lendemain matin, Jos se lève à quatre heures, fourre un lunch dans son *packsack*, ramasse ses raquettes, pis poigne la *trail*. Ludger se lève, déjeune, va faire son tour à l'office, me donne ses ordres, fait atteler sa jument café pis poigne la *trail* à son tour. Rendu à la côte de la Branche Nord, y rattrape Jos.

— Ouo! Embarque Jos!

— Non!

— Fais pas le fou, Jos, embarque! Y te reste encore vingt milles à faire.

— Non, calvaire! J'ai pas besoin de toi pour descendre chez nous.

— Passe-moi ton *packsack* au moins.

— Pantoute! Je suis capable de traîner mon harnois itou!

Y a jamais slaqué. Ludger a été obligé de le laisser là. Ça, c'était Jos Larouche. Mule comme un âne, l'animal. Mais tout un homme. Le lundi, Ludger est venu à bout de le décider à remonter en voiture avec lui.

Pis moi dans tout ça, qu'est-ce que je faisais? Moi, j'étais le *foreman*. Mon ouvrage, c'était de faire faire leur ouvrage aux autres.

Mais y fallait que je la prépare, l'ouvrage. Ça, c'était moins drôle. Une des affaires importantes, c'était le plaquage des chemins. Des billots, ça se sort pas n'importe comment du bois. Y faut trouver la bonne place pour les passer. Faut pas que ça monte trop, autrement, les chevaux seront pas capables de monter leur voyage. Faut pas que ça descende trop non plus, si tu veux pas que les *sleighs* passent sur le dos des chevaux. Faut choisir un beau *ridge* assez, pis plaquer ton chemin là-dessus, depuis les bûchers, jusqu'à la rivière, en t'arrangeant pour ramasser tous les chemins de bobbage. Plus facile à dire qu'à plaquer.

Après ça, tu divises ton chantier en blocs à peu près équipollents, pis tu places tes bûcheux là-dedans. Quand y en a un qui achève, faut que tu le replaces ailleurs, ainsi de suite jusqu'à la fin de la *run*. Si le *jobber* a jobbé dix millions de pieds de bois, faut que tu les trouves, les dix millions. T'installes pas un camp comme ça pour une couple d'hivers pour te ramasser au mois de février plus de bois. Faut que tu sois capable de guesser le bois. Mais, c'est pas toute encore. L'ouvrage, faut qu'a soit ben faite. Pas de bois gaspillé surtout; tous les arbres qui portent un billot: coupés. Pas trop de rouge dans la botte, pas trop petit dans la toppe; les nœuds coupés ben ras; le bois ben pilé pour que les charretiers soient capables de le charger, pis les colleurs de le mesurer; les toppes ramassées pour que le garde-toppes en charge pas pour une couple de mille piasses au *jobber* à la fin de l'hiver. À part de ça, ben entendu, organiser les opérations pour que ça marche rondement. Prévenir les coups... c'est toujours plus facile que de les guérir. S'arranger pour manquer de rien, depuis la cookerie jusqu'à l'étable. Voir à ce que les chemins soient glacés, pis déblayés, les rouloués pareil; mettre des *poles* dans le bout des roules pour pas les perdre dans la neige; faire réparer ce qui se brise; ramasser ce qui se perd; penser *steady pull,* qu'après les chantiers y va avoir la drave, pis organiser ton affaire pour pas fucker ta drave en faisant mal ton ouvrage l'hiver. Organiser cent cinquante hommes comme ça, ça fait du pilotage moyennement, prends ma parole.

À part de ça, quand tu pars tout fin seul dans le bois vert, faut que tu mettes les pieds à la bonne place. Si tu t'estropies à cinq milles du camp, tu peux coucher dehors. T'as beau partir à la raquette, une bordée de neige qui enterre tes pistes est vite arrivée. Faut que t'apprennes à marcher sur le compas, pis sur le soleil itou. Autrement, y peut t'arriver ce qui est arrivé à un de mes *chums.* Y est parti comme ça un beau matin de janvier, mais y est jamais revenu... À la brunante, on a commencé à s'inquiéter un peu; pis après souper, quand on a vu qu'y était pas encore rentré, on a pensé: ça y est, y s'est écarté. Pis comme de fait. On est parti toute la gang au petit jour pis on a pris le bois après lui. On a marché toute la sainte journée dans ses pistes, mais on a jamais réussi à le rattraper. À la nuit noire, on est revenu, pis on a recommencé le lendemain: pas plus de *luck*. On l'a retrouvé le surlendemain à un quart de mille du camp à peu près. Assis à côté d'un sapin, la tête accotée sur les genoux. Gelé ben raide. Tu fessais sur ses mains, c'est comme si t'avais fessé sur du bois franc... Juste avant d'arriver au camp, y s'était mis à tourner en rond. Y retombait dans ses pistes de raquette pis pensait qu'y avait un homme en avant de lui. Y a couru après ses pistes comme ça quasiment deux jours de temps. En dernier, on voyait qu'y manquait. Y fouillait de place en place. On a retrouvé une de ses mitaines, une couple d'arpents plus loin: son casque, plus loin: une raquette.... Y est venu comme fou, pis là y est parti à l'épouvante jusqu'à temps qu'y butte de fatigue. Rendu à bout, y s'est assis pour se reposer. Y a crampé là, y s'est jamais relevé, endormi dans le sommeil de la mort. Pis dire qu'y était à peu près à quinze minutes du camp... On l'a ramené, on l'a fait dégeler, on l'a couché sur une *sleigh* avec une couverte sur la tête, pis envoye en bas... J'ai vu des affaires dures dans ma vie, mais ça, j'oublierai jamais ça, quand ben même je vivrais deux cents ans. Maudit que ça faisait pitié!

Ça te faisait penser à ton affaire quand tu rentrais dans le bois vert. Après ça, j'ai eu souleur de m'écarter pour le restant de l'hiver. Mais, ça m'est jamais arrivé. Je me suis viré un peu quelques fois, mais j'ai jamais couché dehors. J'ai toujours eu un bon Dieu pour moi, pis je suis toujours venu à bout de me sortir avant la noirceur.

C'te histoire-là, ben entendu, ça poignait le gars au cœur, mais que voulez-vous, fallait ben vivre pareil. Fallait sortir tous les matins, à part des journées de tempêtes à voir ni ciel ni terre. Là, on tuait le temps à peu près comme les dimanches. Mais pour le *show boy*, c'était pas congé. Beau temps, mauvais temps lui, fallait qu'y charrie son eau pis rentre son bois pour tous les camps. Des poudreries que tu voyais pas le bout de tes bottes. Y attelait pareil, remplissait ses boîtes à bois, pis charriait son eau. Le champion *show boy* que j'ai connu, c'est le père Télesphore Turbide. Ça, c'était de l'homme. Propre, honnête, à l'ordre, pis vaillant. J'ai jamais vu une boîte à bois vide tant qu'y a été *show boy*. Le barda était fait tous les jours, pis ben fait. Les poêles allumés à quatre heures du matin: les camps chauds comme des fours. Les planchers lavés, les vitres nettes. les lits ben faits.

Oui, c'était de l'homme. Un gros travaillant comme y s'en fait plus. Y a élevé sa famille comme ça, à petit salaire; y a fait un curé, une sœur, deux maîtresses d'école pis un professeur avec ça. Dans le temps de la crise s'il vous plaît. Comment y a réussi? Je le sais pas. Pis y aimait sa Pauline à part de ça. Grand Dieu du Père! Y devait avoir soixante-douze, soixante-treize, pis y était encore *show boy* à Cascapédia. À tous les deux samedis que le bon Dieu amenait, Télesphore montait au Lac. Les gars le faisaient étriver avec ça, tu peux penser.

111

— Qu'est-ce que ça te donne, Télesphore, de monter voir Pauline toutes les deux semaines? Reste donc avec nous autres. Tu te fatigues pour rien. T'es plus bon à rien, d'abord.

— Crains pas! Crains pas! Elle a pas fait penture. Elle a coulé deux fois!

La Viarge! Tu parles toi! Les gars y ont sacré la paix après ça, je t'en passe un papier. Pis y a continué à courtiser Pauline tous ses deux samedis, beau temps, mauvais temps. Y doi avoir proche quatre-vingt-dix asteure. Pis y bardasse encore un peu; y est encore *smart*. Oui! C'était de la babiche, ce bonhomme-là!

Ça me fait rappeler un coup de cochon que le garçon à Ludger y avait joué. C'était un dimanche. Les gars jouaient au *bluff* dans le grand camp. Pis le *bluff*, Télesphore aimait quasiment ça autant que sa Pauline... Y étaient six à table, Bill assis juste à droite de Télesphore. Télesphore regarde ses cartes; rouvre le *pot*:

— Trente sous!

Toute la gang suit. Passe les cartes. Télesphore en prend deux, Bill en prend une:

— À l'ouvreur de *pot* à parler!

— Trente sous encore!

Y en a un qui suit, les autres laissent tomber. Bill est le dernier à parler:

— Cinquante cennes!

Télesphore regarde ses cartes, se branle la tête une secousse, jette ses cartes en disant:

112

— Y tirait une *straight,* ou ben une *flush,* y a pris rien qu'une carte.

Bill hâle le *pot.* Tous les gars qui étaient debout en arrière de lui pouffent de rire. C'était assez! Le maudit Bill avait rien en toute, même pas une petite paire. Les autres joueurs commencent à comprendre.

— Avec quoi t'as hâlé ça, toi?

— J'ai pas d'affaire à vous le dire. C'est pas moi qui a ouvert le *pot.*

— Ça fait rien, dis-nous le pareil!

— Avez-vous payé pour voir les cartes?

Pis ça continue à gueulasser un peu comme ça. Le père Télesphore avait la tête penchée. Motte. Y était sourd un peu, mais pas assez sourd pour pas s'apercevoir qu'y a quelque chose qui va pas. Y relève la tête, regarde les gars qui rient, dévisage Bill en pleine face. L'autre peut pas s'empêcher de rire, tu peux ben croire.

— Tu m'as fait grimper hein? Tu m'as fait grimper?

— Oui, Télésphore. Dans la tête du sapin!

— T'es pas honnête, un garçon qui a fait des études!

Télesphore était en beau maudit. Y en a voulu à Bill pas moins qu'un mois, surtout que l'animal le faisait étriver avec ça, à tout bout de champ.

Pis le temps se dépensait comme ça petit à petit. Après souper, ceux qui avaient besoin de vanne allaient à l'office:

113

— Un paquet de Zig-Zag, un livret de papier.

— Un manche de hache.

— Une paire de mitaines de cuir.

Le commis les servait, pis rentrait ça dans les livres. À la fin du mois, y diminuait la vanne de dessus ta paye. À part de ça, y carculait les *skale bills,* balançait son *pay roll,* checkait les livres de temps, faisait les réquisitions de *stock* pour les partageurs, faisait les rapports à la compagnie, pis au gouvernement : tous les chiffres du chantier. On a eu toutes sortes de commis. Y venaient de partout. Des gars instruits au coton. Y en a même qui avaient porté la soutane, d'autres qui avaient passé par l'université. Mais la Crise.... Y pouvaient pas finir les études : y venaient les gagner dans le bois.

Fauteux, lui, c'était pas la même chose. Y sortait du san. Les docteurs y avaient dit de sortir de la ville. Y avait ressoud dans le Bas avec son *satchel,* pis Ludger l'avait engagé. C'était tout un marle, ce Fauteux-là. Un hiver, y était descendu à Amqui pour les Fêtes. Y pensionnait à l'hôtel Gagnon. Deux, trois jours après Noël, je rencontre Ludger. Y me dit :

— Viens-tu prendre un gin ? On va aller voir Fauteux en même temps.

— Beau dommage ! que j'y dis.

On monte à l'hôtel. Fauteux était dans le *lobby,* en train de placoter avec les gars. La gueule y arrêtait pas. Y avait dû être vacciné avec un bec de parroquet. Y avait son petit chien avec lui : un petit bâtard pas laid, pis smatte à part de

114

ça. Fauteux y faisait charrier son journal dans la gueule. Y dit:

— Les gars, je vous gage une piasse que je suis capable d'envoyer mon chien chercher mes gants dans ma chambre.

— Arrête-moi ça, Fauteux! Ton chien est peut-être ben pas fou, mais y sait pas lire!

— Vous voulez gager?

— O.K. Fauteux, je couvre ta piasse, dit Ludger.

Fauteux poigne le chien, y fait sentir ses mains comme y faut pis y dit:

— Va Pitou! Va chercher mes gants!

Pas incrédule, le chien décolle le ventre à terre, grimpe les marches trois par trois, redescend aussi raide, ressoud dans le *lobby* avec dans la gueule...... une paire de *bloomers!* La Viarge! Les gars se tordent de rire, s'en roulent quasiment à terre, crachent leur gin sur le tapis. Fauteux à travers de ça, à moitié rouge, à moitié à la gêne, se demande si y doit pas tuer le chien.... Mais y est ben obligé de rire avec nous autres. Ludger y dit: « Crache ta piasse, Fauteux! Pis la prochaine fois que tu prendras le cul des femmes, lave-toi les mains pour l'amour du bon Dieu!» Ça a pas resté là, c'te histoire là. Fauteux s'est fait scier avec ça le restant de l'hiver. Mais moi, je me suis toujours demandé comment y avait réussi à monter une femme dans sa chambre. Dans ce temps-là, ça prenait quasiment ton contrat de mariage pour coucher avec ta femme dans un hôtel....

115

En parlant de créatures, y en avait jamais dans le bois. Pas besoin de te dire que les gars avaient hâte de voir arriver les partageurs. Tu comprends, tout le monde attendait des nouvelles d'en bas. Les chevaux étaient pas aussitôt amarrés que les gars ressoudaient chercher la malle. Y avaient des *gazettes,* une lettre, des fois un paquet: une boîte de sucre à la crème, une paire de bas ou ben de mitaines tricotés au pays. Des fois un petit paquet de Turret de cinq cennes. Ça se vendait en cinq cigarettes les Turret. Les gars cachait ça. Y se tenaient au large, pour pas faire enrager les autres qui fumaient le tabac canayen, quand y chiquaient pas à même la *plug.* De temps en temps les jeunesses avaient un portrait de leur blonde dans la lettre. Y collaient ça au mur à la tête du *bed.* Dans le temps y avait des calendriers, mais pas de filles tout nues là-dessus ; ça aurait été un vrai escandale... Les gars se contentaient du portrait. C'était de l'air du bord qui arrivait dans le bois, ça rajeunissait les gars, même si ça les faisait ennuyer encore plus. Ceux-là qui savaient pas lire, pis y en avait un joli tas, allaient voir le commis pour faire lire leur lettre, pis répondre. Y faisaient leur croix en bas de la lettre...

Mais les partageurs emportaient pas rien que des lettres. Y montaient toute, à partir des outils à aller jusqu'aux effets. Des fois, y en arrachaient. Quand la tempête les poignait à quinze, vingt milles du camp, y gelaient quasiment sur la charge. Fallait qu'y marchent, crochetés en arrière de la *sleigh* dans la neige aux genoux, pour se réchauffer. Ça prenait des bons chevaux à neige. Un bon cheval à neige perd jamais la *trail,* quand même y la voit plus pantoute. On dirait qu'y sent toujours le chemin.

Ça me fait penser au cheval à Grand Louis: Tom-B. Louis virait des brosses terribles avec. Y arrêtait aux hôtels en montant, pis s'achetait une maladie. Tom-B dehors à moitié gelé, disait pas un mot, pis attendait Louis. Des fois, Louis venait à bout de sortir de l'hôtel rien qu'à une heure du matin. Embarque dans la carriole, pis envoye en haut. Y te prenait des *rides* tu peux me croire. Tom-B, c'était un cheval de course qui avait une marque de deux et deux. Y te bardassait le borleau, crois-moi. Une nuit comme ça, Louis arrive à une fourche de chemin. Y veut envoyer Tom-B à doite, Tom veut pas. Sacre un coup de fouet. Tom y va pas pareil:
— Fais à ta tête, maudite tête de cochon.
Pis Louis garroche les cordeaux dans le fond de la carriole, retrousse la peau de buffalo par-dessus la tête, pis dors, mon Louis. Une couple d'heures après, Tom arrive au camp, arrête devant l'office, pis attend ben tranquille que les gars viennent réveiller Louis:

— Monsieur Lévesque! Monsieur Lévesque, vous êtes rendu en haut.

— Tiens, salut mon Tit-Mond!

— Venez vous coucher, monsieur Lévesque.

— Sais-tu, Tit-Mond, que Tom est plus fin que moi?

— Ça se peut, Louis. Ça se peut....

117

5

Je me demande si les docteurs vont me laisser sortir pour la votation? À moins qu'y nous fassent voter dans l'hôpital... Je sais pas si ça se fait? Va falloir que je m'informe de ça. Ah! c'est pas que ça me ferait mourir de pas voter, non! j'y tiens pas plus que ça; mais comme j'ai toujours voté toute ma vie, je voudrais faire ma croix encore ce coup icitte.

Je me demande qui va rentrer.... D'après moi, y sont à peu près bonne à bonne. Mais les Rouges vont être durs à débarquer. Tu comprends, le parti au pouvoir manque jamais de *tokens.* La caisse est toujours ben ronde. Même l'opposition en crache, pour les emmiauler... Au cas où... En tous les cas, que ça soit les Rouges ou ben les Bleus, ça changera pas grand'chose. Y vont continuer à nous conter les mêmes menteries. La moitié du monde vont envaler ça comme un coup de lait; pis l'autre moitié va chiâler, comme de coutume.

Aujourd'hui dans le monde, toute change terriblement vite. Monte à Montréal aujourd'hui; retournes-y dans cinq ans: tu te reconnais plus. Y a rien que la politique qui change pas vite. Y a bien manque la manière de faire les élections qui a changé un peu. Au tournant du siècle, y avait pas de télévision, pas d'aéroplanes ben entendu. Le premier minisse, tu voyais rien que son portrait dans la gazette. Y mettait jamais les pieds en Gaspésie. La cabale se faisait pas pareil non plus.

Le monde a changé itou, on dirait. Aujourd'hui, ça change de chemise comme ça crache à terre. Dans le temps, c'était pas ça pantoute. Si t'étais rouge, c'était pour la vie. Je vas dire comme Ludger: (y était bleu lui, pis une fois y a eu le malheur de voter rouge).

— Je m'en suis confessé, Ovide! Mais le curé m'a donné l'absolution sous condition. Oui, monsieur! Sous condition que je revote plus jamais rouge!

Ah oui! mes amis, y a une cinquantaine d'années, la politique c'était quasiment une religion. Pas pour les politiciens: eux autres y ont toujours été pareils, mais pour les voteux. Eux autres, y étaient terriblement chatouilleux là-dessus. La minute que tu touchais à la politique avec la majorité du monde, tu risquais de te brûler les doigts. Je me rappelle un coup que Ludger a manqué se faire tuer, lui. Y avait demandé à Louison St-Laurent d'y faire un tombereau. Une semaine, dix jours après, Ludger repasse par la boutique de forge. Louison y dit:

— Ludger, ton tombereau est prêt.

— Je vois ça, Louison, mais tu l'as pas peinturé.

— Je savais pas quelle couleur tu voulais l'avoir.

— Peinture-moi ça rouge, Louison. C'est toujours ben rien que pour charrier du fumier après toute.

Ludger a rien qu'eu le temps de tasser la tête. Le marteau y a passé à deux pouces de la face, pis a été s'effouérer dans le mur, comme une balle dans un fusil. Pis v'là Louison à la course après Ludger. Mais Ludger savait ce qui s'en venait, tu penses. Saute dans le char hein, pis *go.* Louison dans le chemin en arrière de lui, les masses en l'air! Y voulait battre Ludger à tout reste. Y a jamais peinturé le tombereau, y te l'a sacré dehors tout suite là. Ludger a quasiment été un an pas capable d'y parler. Quand y allait à la boutique, fallait qu'y demande son ouvrage au garçon à Louison. Ah non! La politique, t'avais pas le droit de jouer avec ça. C'était une question d'honneur.

C'était le père qui runnait ça dans sa maison. Quand ses gars étaient en âge, y votaient comme lui, ainsi de suite, aussi loin que tu pouvais remonter. C'était pas toujours drôle.... Un rouge regardait plus un bleu. Quand y l'adressait, c'était pour l'abîmer de bêtises. La chicane poignait souvent. Les claques sur le ballot de temps en temps. Oui, monsieur. J'ai vu, moi, des voisins pas se parler un mot, des sept, huit mois de temps, les petits gars se chamailler entre eux autres, les petites filles se rencontrer le bec pincé, pis se retourner la tête de bord, les bonnes femmes sacrer dehors de la cour les *punchs* de l'autre. Une vraie maudite folie!

121

Les gars venaient sur les nerfs pareil comme les chasseurs, le matin que la chasse à l'orignal rouvre. Y suivaient les parlements d'une paroisse à l'autre. Montaient en *buggy* trois, quatre ensemble, des dix, quinze milles, pour aller aux parlements. Pour ces assemblées-là, ça prenait un grand terrain. C'était toujours celui-là d'un *big shot*. Mais les rouges allaient pas chez un *big shot* bleu, quand ben même son terrain aurait été planche comme la carte, pis grand comme un terrain d'aéroplanes. La même chose pour les bleus, ben entendu. Y bâtissaient un *husting* là-dessus; décoraient ça en rouge ou ben en bleu accrochaient les portraits de Taschereau ou ben de Duplessis; ceux-là des candidats aussi: mettaient des chaises pis des tables là-dessus, avec une cruche d'eau; assisaient les notables, le maire, les conseillers, le préfet du comté. Là, le notaire Larue, ou ben le notaire Dionne ramassait le cornet:

— Mes chers électeurs du beau comté de Matapédia...

Y avait pas le temps de placer dix mots que ça commençait à hurler:

— Hourrah pour Taschereau! Hourrah pour Dufour!

T'avais de la misère à te comprendre. C'était toujours noir de monde. Tous les chars rouges ou bleus du comté étaient là, avec des banderoles aux *bumpers*. Y en avait rien qu'une quinzaine, mais y faisaient du tapage comme cent. Les gars embarquaient sur les criards, pis lâchaient pas. Les autres: grimpés sur les galeries, assis dans les *buggys,* à terre, jouqués sur les pagées de clôture, debout: partout. Y commençaient à chanter: «Il a gagné ses épaulettes», deux, trois semaines avant l'élection.

Y a des fois, fallait rire malgré nous autres... Y nous en sortaient des capables... Comme l'orateur qui parlait contre la conscription à Amqui. Je me rappelle plus qui c'était.

— Mesdames et messieurs si vous laissez ce gouvernement sang.... (quelque chose là... je me rappelle plus au juste.... un grand mot en tout cas...) prendre le pouvoir, ça va être la conscription! La conscription, mesdames et messieurs, avec son *cottage* de malheurs! Voulez-vous voir vos jeunesses tuées sur les champs de bataille? Voulez-vous voir le sang couler dans nos rues?

— On se chaussera pour, câlisse.

L'orateur a été obligé de rire lui itou...

Pis l'autre, un minisse s'il vous plaît qui disait:

— Je l'aime mon comté, mesdames et messieurs! Je l'aime ma province, mesdames et messieurs! Je suis pratiquement marié à ma province....

— Ça serait quasiment le temps que t'a marisses, ça fait assez longtemps que t'a fourres pour ça, câlisse!

Une autre fois, c'était un gros habitant qui se présentait. Y se vantait un peu, tu comprends.

— Mes bons amis, cultivateurs du beau comté de Matapédia, si vous voulez que notre beau comté soit encore plus beau, élevez-en, des

123

beaux cochons, comme moi; élevez-en, des belles vaches, comme ma femme!

Mais la meilleure, c'est le coup que le bonhomme Ouellet fessait sur le coin de la table en disant:

— Nos adversaires nous reprochent d'être des incapables. Eh bien! nous sommes fiers, mesdames et messieurs, de pouvoir leur répliquer que nous avons mis des religieuses à Amqui, bang! nous en avons mis à Lac-au-Saumon, bang! et nous en METTRONS à Ste-Irène, BANG!

Pauvre bonhomme, c'est pas lui qui a mis le blanc dans la crotte de poule.... Ça l'a pas empêché de se faire élire pareil.

J'ai pas besoin de te dire que les hôtels faisaient des affaires d'or. Le député tolérait toute, tu peux croire. L'hôtelier fournissait la bière à un comité ou deux, pis y pouvait vendre à bar ouvert jusqu'au lendemain de l'élection. Après, y recommençait à se watcher, parce que là, c'est le curé qui repoignait les cordeaux. Pis lui, y avait pas besoin de se faire élire, son siège était solide... Prend un petit coup, débouche une bière, pis un autre; c'est pas long que les *bullys* se sentaient capables. Le coq des rouges cherchait celui-là des bleus. Quand ça se rejoignait, la chicane poignait. Des fois ça se redoutait de chaque bord; ça se pétait de la *brew,* ça se stompait, mais ça poignait pas. D'autres fois, ça y était. Y en a qui voulaient séparer ça; y recevaient une morniffe, tu penses! Pis là, la bagarre éclatait. Des vraies batailles de chien. Ça se roulait dans la gravelle, ça saignait du nez sur les chemises blanches, ça morvait sur les cravates, ça sacrait, ça steppait, ça se fessait dans les mains en hurlant, pareil comme des coqs avant de se griffer. Mais, y avait pas de honte à ça: se faire casser la gueule pour Taschereau ou ben pour Duplessis, c'était quasiment aussi beau que se faire estropier à la guerre.

Mais, c'était dans les assemblées contradictoires que c'était le plus beau. Les bleus pis les rouges sur le même *husting...* les deux gangs chacun de leur bord dans le clos. Les candidats parlaient chacun leur tour; se chantaient des bêtises... dans les termes s'il vous plaît... polïs... mais, y s'envoyaient pas dire les vérités. Y faisaient leurs commissions tout seuls. En bas du *husting,* c'était pas toujours aussi *fancy:*

— T'as menti plein ta gueule! Maudit écoeurant!

— Répète donc ça pour voir, mon christ de baveux! Envoye donc si t'es un homme!

— T'as menti plein ta...

Pan! Un coup de poing sur la suce. Pis v'là ça reparti... La moitié du temps, les candidats étaient pas capables de finir. Y continuaient ça à l'hôtel. Pis, avec quatre, cinq gins dans le tuyau du *sink,* crois-moi qu'y cherchaient pas les mots.

Mais mon Dieu que le monde était donc coiffé. Les rouges étaient rouges comme le feu de l'enfer, les bleus, bleus comme du bleu à laver, la Viarge! Mon beau-père moi, y était rouge comme une soutane de cardinal. Sa femme était rouge elle aussi ben entendu, mais moins que lui, parce que son père à elle était bleu enragé. Le bonhomme à bout d'âge, mes amis, y allait même plus à l'église, recevait les sacrements chez eux, mais le v'là qui ressoud chez le beau-père la veille de l'élection cabaler son gendre. Y te l'a ostiné pis engueulé sur la politique, que si ça avait pas été le père de sa femme, y te l'aurait sorti sur la tête, garanti! Y aurait jamais pris d'un autre, la moitié de ce que le bonhomme y a servi. Y vient à bout de sacrer le camp en claquant la porte:

— Mais, ma grand foi du bon Dieu, y est fou!

— Tu savais pas encore ça, ma femme, que ton père est fou? C'est un bleu!

Les caballeux se démenaient à travers de ça: essayaient de faire tourner casaque aux gars de l'autre bord; les tourmentaient pour leur faire prendre un coup; leur promettaient mer et monde si y votaient avec eux autres. De temps en temps, ça prenait, mais pas souvent. La plupart du temps, y se faisaient sortir, pis vite à part de ça.

— Dehors, calvaire! Mon grand'père était rouge, mon père est rouge, je suis rouge, pis si y a un des miens qui vote bleu, je l'étripe!

Y avait les organisateurs! Le *brain trust!* Un mois de temps à pleine épouvante. Le ventre à terre du matin au soir, pis les nuittes courtes. Y lâchaient le magasin à la femme, laissaient la terre en friche, la besogne pas finie, prenaient de l'argent de leur poche, s'énervaient, s'exci-

126

taient, se pensaient bon, se montaient la tête, pis essayaient de la monter aux autres. Y checkaient la liste électorale, s'assuraient que les gars de leur bord étaient ben dessus; faisaient la liste des bleus d'un bord, la liste des rouges de l'autre, celle-là des Branleux-dans-le-manche dans le milieu; pis les travaillaient à mort, leur garantissaient des lots patentés, des *jobs,* de l'argent, tout, pis n'importe quoi. Y a toujours eu des vireux de capot, pis des guenilles, des ni-chair, ni-poisson.... Y prenaient du gin rouge un soir, du bleu le lendemain, juraient dur comme fer qu'y étaient rouges à Pierre, pis bleus à Paul... Va donc savoir: y votaient tout seuls comme tout le monde. Mais, y en fourraient au moins un des deux. Ça empêchait pas les deux bords de mettre leur nom sur leur liste. Le lendemain du vote, ça balançait pas toujours correct dans les livres. Mais tu pouvais être sûr d'une affaire: rouges ou bleus au pouvoir, tu voyais toujours ces enfants de chienne-là dans le triomphe.

Ensuite de ça, y avait les comités. Trois, quatre dans le village; un par rang. Ça giguait là-dedans que les violonneux avaient la *brew* dans le toupet un mois de temps. Ça faisait du Caribou avec le miquelon de l'île Saint-Pierre. Ça brassait la bière à palette aux quarts. Les *bootleggers* étaient gras dur, le sourire dans la face, d'un oreille à l'autre. Les canisses de *Hand Brand* dansaient dans les valises de char, d'un bord à l'autre du comté. Tout le monde était heureux, primé ben dur. Les gageures revolaient

127

sur les coins de table. Quand tout ça était fini, je te garantis qu'y en a une jolie *bunch* qui étaient débiffés pas pour rire, pis qui avaient le bloc sensible pour une moyenne neuvaine. Ça leur prenait quasiment autant de temps à relever qu'une créature qui déboule.

Le lendemain de l'élection, ceux-là qui avaient gagné étaient fous raides, tu peux croire. Mais une fois qu'y avaient triomphé comme y faut, fait brûler une couple de presses de paille dans la cour des battus, fait flamber un Duplessis ou ben un Godbout en guenilles pendu après une branche d'arbre, pis qu'y s'étaient paquetés comme un œuf à deux jaunes, là, fallait qu'y se désaoulent, pis qu'y se remettent à travailler. Mais, c'était pas aisé, ça clutchait pas raide. Les bleus qui savaient que le curé était rouge, voulaient quasiment plus faire de la religion. Y faisaient plus rien que la geste. Des grands mois sans mettre les pieds dans le confessionnal. C'était déjà assez pire d'aller conter ta petite histoire à quatre pattes devant un homme, mais à un rouge en plus de ça....

Un coup comme ça, Jos Canuel avait voté bleu: c'était la première fois de sa vie. Mais sa femme l'avait pas pardonné. Dans sa famille, c'était rouge sang-de-bœuf depuis cinq, six générations. Le soir, Jos, fier de lui, prend un petit coup, pis triomphe. Y rentre chez eux sur les petites heures, pis se couche. Vient pour flatter la femme un peu... La Viarge! A saute *fair* par-dessus Jos, pis envoye en bas! Pas incrédule, Jos falligne par derrière. Valéda est sur le divan, les yeux verts dans la tête. Pas de différence. Jos embarque pareil. A resaute en bas comme une balle, pis envoye en haut... Jos me contait ça après:

— En haut, en bas, en bas, en haut; en haut, en bas, ça m'a pris un mois à y prendre le cul! Tu peux être sûr d'un affaire, Ovide: j'ai triomphé ma femme une fois dans ma vie, mais c'est la dernière.

Non, fallait revenir sur la terre, pis des fois ça atterrissait raboteux. Parce que vois-tu, les miracles qu'y avaient promis dur comme fer, y arrivaient pas souvent... Les gros contrats de voirie, les mines, le poisson à dix cennes la livre, les octrois à la colonisation, les graines de semence gratis, les écoles neuves, les hôpitaux: tout ça, ça servait encore à faire la prochaine élection. J'ai vu un hôpital faire trois élections, avant de sortir de terre, moi. Les bleus avaient passé ce sapin-là pour se faire élire. Les rouges ont dit: y a rien que nous autres qui peut vous bâtir ça. Y ont battu les bleus. À la troisième élection, y l'ont annoncé officiel!, le *jobber* sur le *husting* à côté d'eux autres. Y ont commencé la *footing* trois ans après, *anyway!* Pour moi, y auraient été bons pour un quatrième tour. Parce que le monde, plus que tu les fourres plus qu'y veulent se faire fourrer... On dirait.... J'ai vu des beurrées de caltore s'étirer deux termes, des fois trois... À tout coup, le monde envalait ça comme un *coke*, croyait ça comme l'évangile; pis cognait la gueule du gars qui leur disait qu'y s'était fait remplir encore une fois.

Quand y étaient toutes ben dégrisés, qu'y avaient lâché leur vent comme y faut, y s'apercevaient qu'y avaient l'air à moitié bête. Le marchand bleu voyait plus ses clients rouges pour six mois; le barbier rouge faisait plus la barbe bleue pour aussi longtemps; les clôtures rouges empiétaient sur les terrains bleus. Fallait l'arpenteur, pis des fois l'avocat pour leur dire qu'y avaient gaspillé cinquante piasses pour apprendre que la clôture était à la bonne place en premier de toute. Fallait que les grosses gueules désenflent; que t'apprennes à reparler à ton voisin. Fallait quasiment que t'arrêtes de dire ton Notre Père, ou ben que tu rouvres le cléon du voisin; que tu piles sur ton orgueil en pilant sur sa pelouse, pour aller y donner la main... Tiens, ceux-là qui avaient le courage de faire ça se remettaient à trouver qu'y faisait beau. Les autres trouvaient le temps maussade, même quand tu pouvais te bercer en chemise sur le perron, jusqu'à dix heures du soir.

Maudite politique! Dans ce temps-là, en tout cas, ça mettait le monde en transes, que le diable m'emporte! Je me rappelle la dernière fois que Duplessis est venu parler à Amqui. Y avait au-dessus de trois mille personnes à l'aréna. Tiens, c'est la dernière fois que j'ai vu le père J. M. Y devait avoir dans les quatre-vingt, le bonhomme, mais y était rendu là pareil, à se faire bousculer dans le monde, pour voir le Premier!

— Comment ça va, monsieur Bouchard?

— Ben je vas te dire, Ovide : à mon âge, y a plus de plis que de pouces...

C'était pas qu'un petit bonhomme... mais, revenant à Duplessis, y avait parlé pas moins que deux heures sans arrêter... par cœur à part de ça ! Le monde écoutait ça comme un sermon d'évêque. Faut dire que c'était tout un débator itou ! Y t'a encore donné une dégelée aux Anglais d'Ottawa, nous a ben fait rappeler la loi du cadenas (y voyait des communisses dans sa soupe, la Viarge) ; nous a dit encore une fois l'admiration qu'y avait pour les habitants, les pêcheurs, pis les *lumberjacks* ; nous a juré en finissant que tant qu'y aurait l'œil ouvert, on pouvait dormir sur nos deux oreilles : les Anglais mèneraient pas icitte... Oua... Y te l'ont triomphé dix minutes sans slaque. Les pouces dans le bord de sa petite vesse, y regardait ça... y riait... y a-vait l'air content. Les petites vieilles braillaient dans leurs manchons. Les gars hurlaient comme des cochons que t'égorges. Y était assez fort, que j'ai manqué le croire encore une fois. Mais non ! Un chien échaudé... tu vois...

Je dis pas qu'y était pas honnête. D'après moi, y l'était. Je dis pas non plus qu'y a jamais eu des députés honnêtes. Non ! Mais ce que je sais par exemple, c'est que ceux qui étaient drets restaient pas longtemps. Le père Paradis la moustache de broche, par exemple. Y a été élu en trente-six quand Duplessis a pris le pouvoir. Y a jamais fait de promesses à personne, pis y avait pas besoin de la politique pour vivre, *mind you !* Y était coppé en masse. Le lendemain de l'élection, y a un seineux qui arrive à son bureau:

— Monsieur Paradis, je viens pour la gratte.

— Quelle gratte?

— La gratte de cantonnier, voyons!

— Je te l'ai-tu promis?

— Non, mais....

— Écoute, mon petit garçon. Tu veux la gratte?

— Oui, monsieur Paradis!

— Eh ben! Fais-toi-z'en une, pis gratte!

Trois ans après, Duplessis déclenche les élections. Y se fait battre, pis le père Paradis avec. Y avait trop de gars qui attendaient après la gratte...

Oui! Des patroneux, y en avait comme asteure. Y avaient le même gabarit. Y étaient aussi collants, aussi charognes. Engeance maudite par excellence. Tu peux peigner l'enfer avec un peigne à poux, tu trouveras pas pire. Y sont comme les corbeaux, peuvent te sentir la charogne à dix milles. Dans la tempête, y font girouette. Pas besoin de Galoppe Pole pour sentir le vent; pas de saint danger; on dirait que le diable leur dit. J'en ai connu qui se sont beurrés avec Taschereau, pis avec Duplessis, pis avec Lesage, pis ainsi de suite. Y sont comme des chats, la Viarge! Y retombent toujours sur leurs pattes. Pendant ce temps-là les vrais rouges, ou ben les vrais bleus mangent de la paille... C'est ça, le règne...

La politique! Je suis ça depuis avant Taschereau, moi, mais ça m'a pas pris plus loin que Duplessis pour apprendre que quand tu brasses

132

là-dedans, tu te graisses vite jusqu'aux yeux. Quant à moi, je toucherai pas à ça avec une gaule de seize pieds. Je me contente de les écouter parler. Prenez la Gaspésie, par exemple, ça fait au dessus de soixante ans que je me rappelle qu'y nous chantent que les pêcheurs, c'est le plus beau métier du monde. Sans nous autres, pis les habitants, le pays crèverait de faim... tu parles! Ça les a pas empêchés de laisser les pêcheurs démailler la morue à une cenne la livre pour les Robin pendant cinquante ans; ça les a pas empêchés de laisser les vieux pays venir poigner notre poisson dans notre face dret en avant de nos portes; ça les a pas empêchés de laisser les habitants se faire pleumer tout rond par Swift, Wilsil pis les autres, jusqu'à temps que la moitié s'écœurent, pis se débarrassent du bien pour une chanson. Ça les a-t-y empêché de laisser les *lumberjacks* se faire exploiter par la Bathurst, la C.I.P. pis les autres? Quand y en ont eu assez, y ont été grossir Montréal. Y ont't'y été mieux usés, tu penses? Pas une miette! Y étouffent dans la boucane pis l'*exaust* de chars, pis y continuent à crever dans les clos à bois, ou ben les canneries. Pour être proches des belles affaires, y sont proches des belle affaires. Mais, y ont rien que le moyen de regarder. C'est vrai que les vitrines à Eaton pis à Simpson, c'es beau à voir. Rien qu'à voir, on voit ben! T'en viens l'eau à la bouche pis la morve au nez, que ça te donne le goût de décoller pour la finance, aller chercher du foin pour les aider à vider ça un peu... pour les encourager.

Y a été un temps, qu'y avait quasiment pas une place, à la grandeur de la Gaspésie qui avait pas son moulin à scie. Personne roulait sur l'argent, tu vas me dire, mais y avait pas de service social pis tout le monde gagnait sa croûte, la Viarge! Aujourd'hui, y reste plus de moulins. Les gouvernements ont tout donné le bois aux grosses compagnies, pis y ont remplacé les moulins par des H.L.M. Pour deux, trois moulins à pitoune qui emploient cinq, six cents hommes, y ont fait crever vingt-cinq, trente moulins à scie qui en faisaient vivre trois, quatre mille. Y paraît que c'est ça, le progrès...

C'est rendu que les curés sont obligés de jouer aux députés, à gauche, pis à dret. Eux autres aussi y croient aux miracles... Y devraient pourtant savoir mieux que personne... Non! Les politiciens ont toujours pensé pareil du pauvre monde: «Vous êtes des maudits caves. Si on peut vous flatter assez sur le sens du poil pour se faire élire, après, vous mangerez de la marde.» On en mange depuis que je suis petit gars. Pis c'est pas demain la veille que ça va changer, si tu veux tout savoir.

Y a cinquante ans, les gouvernements faisaient rien, mais au moins, y te laissaient ton argent. Aujourd'hui, y ont le nez fourré partout, surtout dans les affaires qu'y connaissent pas, pis tous les jours y trouvent un autre moyen de t'arracher tes piasses.

Tu leur donnes la moitié de ce que tu gagnes, pis l'autre moitié vaut quasiment plu rien. Tu rentres à l'épicerie, tu craches trente-cinq, quarante piasses au cash, tu resors de là avec tout ça en-dessous du bras, pis trois jours après faut que tu recommences. Quand j'ai commencé à travailler, y avait les compagnies qui te volaient. Pas ton argent, non! Mais tes sueurs, ta capacité, pis ta santé, à te faire sciotter comme un forçat d'une lumière à l'autre pour une piasse par jour. Y étaient même pas capables de te loger comme du monde, pis dépester les rats dans leurs maudits camps de cochons. Y venaient assez fantasques qu'y couraient sur les *beds* avec ton savon à la gueule. Manquable que ça devait les aider à péter de la *brew* eux autres aussi, parce qu'y doit ben y avoir des parlements de rats, avec des députés...

Aujourd'hui, y a l'union, par dessus le marché. Tu fais de grosses gages, mais plus que t'en gagnes, plus qu'a vaut rien. Ça fait que le petit reste la face à terre, la même maudite affaire qu'y a cinquante ans. O.K., y se promène en char, y regarde la T.V., y fait du *skidoo* l'hiver, mais dans quatre-vingt-dix pour cent des coups, tout ça est à la finance. Si le gars a le malheur de tomber malade ou ben de pardre sa *job*; y prend le chemin, hypothéqué jusqu'aux oreilles. Non! Ça s'est jamais démenti, pis si tu veux ma pensée, ça s'en vient encore pire. Mais, y paraît que c'est ça, le progrès...

Pis pense ce que tu voudras, mais c'est pas les politiciens qui vont changer queque chose à ça. Y en les trois quarts qui sont pas fûtés de se faire une cheville pour se mettre dans le cul. Pareils comme le nordet; y traînent jamais rien

135

de bon avec eux autres. Qu'est-ce que tu veux, un affaire qu'un bon homme d'affaires règle dans une petite journée, eux autres, y prennent un mois, quand ça va ben. Gueulassent pour rien en toute des grandes semaines de temps. Pour sortir le bon Dieu des écoles, ça leur a pris une journée; pour rentrer le français dans les *shops* anglaises: un mois. Ces christs-là, seraient-y plus forts que le bon Dieu, la Viarge! Pis vire en rond, pis vire donc en rond. Tu jurerais qu'y ont tous été baptisés avec de l'eau de remous.

Ça fait que dans le monde c'est un joli *free for all*, prends ma parole. Tu rouvres le journal ou ben la T.V.: c'est toujours la même *goddam* d'écoeuranterie. Grèves à gauche, grèves à droite; jusque dans les hôpitaux ousse que le monde crève: Mesdames et messieurs, voici un avis public. À partir de lundi matin, défense de tomber malade. C'est les hôpitaux qui tombent en grève. O.K., mon *boy*. Endors ton cancer. Retiens ton à-pend-d'icitte. Ressoude ta jambe cassée avec du *putty*. Fais rentrer tes émorouittes par ta femme. Mets-toi ton panaris dans le nez: (remarque ben c'est bon à rien pour le panaris, mais c'est garanti pour déboucher un rhume). Fais fondre tes oripiaux à la torche à Origène. Démarde-toi tout seul. Guerres! Kidnappes! Bombes! Escandales à te faire restituer! Pègre! Drogue! Fesses! (Ça, c'est moins pire...). C'est rendu dans la province que ça tue comme à la guerre. Pas rien qu'à Montréal, *mind you*. Dans toutes les petites maudites colonies, la même affaire. Dans mon temps, moé, un homme

136

qui en fessait un autre avec ses pieds passait pour un sauvage. Celui-là qui se servait d'autre chose que ses poings, c'était un lâche. Le monde le regardait pas pour un an. Aujourd'hui, c'est les chaînes, les *bats* de baseball, les bouteilles cassées, quand c'est pas le *gun*. C'est peut-être ben le progrès, ça itou?...

En tout les cas, de la politique, j'en fais pas. Je me contente de voter, pis je farme ma gueule... Je vote pour l'homme. Je me sacre de la couleur, parce que d'après moi, un rouge pis un bleu, ça se ressemble comme deux corneilles à cent pieds. Ça fait que mordu du chien..., mordu de la chienne..., ça s'équipolle pas mal. Les autres : les séparatisses à Lévesque, y critiquent. C'est beau à faire, beau dommage! Mais d'après moi, y sont pas le diable mieux que les autres. Prends l'autre jour, par exemple : y t'ont pété une brume maudite dans la chambre une grand semaine sans dérougir, pour critiquer le salaire des députés. J'ai pas entendu parler qu'y en avait un enfant de chienne dans la gang qui avait retourné son chèque, par exemple. Non! Si tu veux le fin mot de l'histoire, d'après moi y vont prendre le pouvoir : peut-être ben pas à la prochaine, mais à l'autre d'après ; pis dans deux ans, y vont être aussi charognes que les rouges pis les bleus. Y vont apprendre ça vite, crains pas la glace.

Écoute, je suis pas instruit, mais à mon idée, y a trop d'avocats au parlement, pis pas assez de travaillants. C'est comme les bonnes femmes à la T.V. qui gagnent cinquante mille piasses par année, pis qui disent à nos femmes comment vivre, pis comment faire à manger, pis comment s'habiller, pis comment se divertir, pis comment se manciper, qu'y disent. Y oublient rien qu'un affaire, un détail de rien en toute ; c'est que la bonne femme chez nous, pis chez vous itou probablement, c'est pas cinquante mille qu'a l'a à fripper, c'est deux, trois mille qu'a l'a pour suivre leurs idées. Veux, veux-pas, a peut pas suivre ben longtemps. Pis là, a poigne le feu au cul. Pis c'est drôle, hein ? Mais une femme qui a le feu au cul, a t'en donne jamais... Manquablement qu'a'l'a peur que tu te brûles, la Viarge ! Non. Risées à part, y leur montent assez ben la tête qu'y viennent plus endurables pantoute. Pis dire que c'est nous autres qui payent des millions pour que la T.V. nous gâtent nos femmes, pis nos enfants. Pis essaye pas de changer de poste, tu vas te faire tuer. *Anyway,* j'ai rien que deux rigoles : la française, pis l'anglaise, pis comme y a rien que moi qui comprend l'anglais chez nous...

Pour revenir aux avocats, c'est des avocats. Pis un avocat, plus qu'y a de lois pour passer à côté de la *track,* plus qu'y a de clients dans son bureau. Ça fait que des lois, y en font comme le macaroni à la manufacture. Une couple de cents par année. Va donc savoir ça par cœur, toé. Faut que tu t'informes, parce que si tu te fais pincer, tu vas y goûter. Mais pour t'informer, faut que tu craches un dix. À qui ? Pas au docteur, la Viarge ! À un avocat. Y a cent ans, y limonaient pas avec ça. Un bandit, y le pen-

138

daient. Aujourd'hui, y les pendent plus, y les mettent quasiment plus en prison. La différence? Les avocats entre les deux pour les défendre; pis les voyages de *truck* de lois qu'y arrêtent pas de sortir du parlement comme des planches au bout de la *gang saw*. Pourtant, j'vas dire comme le père J.O. disait:

— Observe les commandements, mon petit garçon. Tout est là-dedans. Pas besoin d'autres lois que ça.

Oui, les avocats... Ça me fait rappeler une histoire que j'ai entendue y a ben longtemps. C'est l'histoire de deux habitants qui étaient en train de planter ensemble une clôture mitoyenne. Les pagées montaient une en arrière de l'autre... Chacun son tour sur la masse... Ça marchait numéro un. À un moment donné, dret dans la ligne, y fessent un tas de fumier. Le premier vient pour le tasser chez eux avec le pied. L'autre l'arrête:

— Ouo, toi là! Ce tas-là est chez nous.

— Ben non! Y est pas chez vous. Regarde comme y faut.

Pis, en disant ça, y s'accote un peu le jarret après la ligne pour que le tas tombe sur son terrain. L'autre le voit faire:

— Tu triches, maudit écœurant! Lâche la ligne tranquille!

La ligne se secoue une secousse, pis a l'arrête en plein milieu du tas.

— Tu vois ben qu'y est à moi.

— Es-tu fou, ou ben aveugle? Ce tas-là est à moi.

139

Pis les v'là qui s'ostinent, passent aux gros mots, se passent le poing sous le museau :

— Ça restera pas là !

— Non, monsieur ! On va voir le fin bout de c't'affaire-là. On va aller en cour si y faut !

— Je donne ça à mon avocat !

Y avait un voisin qui passait par là. Y avait vu le gros de la chicane. Y dit :

— Voyons donc les gars ! Faites pas les fous avec ça. Réglez ça à l'amiable. Prenez en chacun la moitié.

— Pantoute !

— Ça va aller en loi !

— Je laisse pas faire ça. Je mets ça dans les mains de mon avocat !

— Mais allez-vous arrêter de vous chamailler. Bon Dieu ! Vous savez ben que si vous mettez ça dans les mains des avocats : y vont le manger, tordieu !

L'histoire dit pas comment ça a fini. L'histoire dit pas non plus, où on va se ramasser avec ça nous autres, si ça continue de même... Manquable que les gouvernements vont manger notre chemise ben vite, itou.

La politique... Un joli dépotoir, mes amis... J'vous en dis pas plus...

6

Les chantiers d'asteure, ça ressemble plus pantoute à ce qu'on faisait dans le passé. À peu près la seule affaire ressemblante, c'est qu'on fait encore des billots, pis de la pulpe, pis encore... la pitoune, on la faisait en quatre pieds, mais asteure on la coupe en huit pieds. À part de ça, c'est le jour pis la nuit. Mais la plus grosse différence d'après moi, c'est le tapage qui te casse la tête, la minute que tu mets les pieds dans le bois.

Anciennement, quand tu te promenais dans un chantier, t'entendais quasiment rien. Les *bucksaws* qui frottaient dans les arbres, ça portait pas le diable plus loin que cent pieds. Tiens, ça faisait moins de tapage qu'un égoïne qui refend une planche. T'entendais les charretiers crier après leurs chevaux, un coup de *black snake* de temps en temps... Tout d'un coup! un cri: « *Watch out* »! T'arrêtais... une couple de secondes après t'entendais craquer l'arbre dans la natche, pis boum! l'épinette était sur le côté. Là, les bûcheux se mettaient à ébrancher à la hâche: un petit son sec, comme des os que tu

141

fesses ensemble. Les *sleighs* qui criaient des lisses sur la glace, c'est à peu près tout ce que t'entendais. Tu pouvais te comprendre sans hurler. Les seules boucanes que tu voyais, c'était le midi quand les gars se bunchaient ensemble pour faire le feu de lunch.

Une autre affaire qui a ben changé, c'est les chevaux. T'en vois plus dans le bois. Y a été un temps qu'y faisaient toute, aujourd'hui, y font plus rien, c'est la machine qui a pris leur place. Les rivières sont vides de bois... Tu vois quasiment plus de draves : c'est les *trucks* qui charrient toute, hiver comme été.

Oui, ça a ben changé. Asteure, c'est un vacarme que t'es obligé de crier du matin au soir : un vrai tremblement de terre. Pis une pesse maudite en plus de ça. Ça te poigne le nez, la minute que tu sors du camp : Tracteurs, chenilles, *timberjacks, loaders, trucks-auto, skidoos,* chars, *snowmobiles,* pis pour finir, la scie à chaîne qui se lamente du matin au soir à travers de ça. Une boucane bleue partout : *exaust* de gaz, pis d'huile crue. Quand y fait beau, tu vois ça monter en l'air de tous bords, tous côtés.

Les coupes asteure : un vrai massacre. Après une coupe à blanc, tu peux te mettre dans le flanc d'une montagne, pis voir ça des milles en avant de toi ! Y reste pas un arbre pour brancher un corbeau. C'est le désert, ma grand foi du bon Dieu ! Tu dirais quasiment que le feu a passé par là. En hiver, en tous les cas, y a pas de différence.

142

Anciennement ben entendu, les gars avaient pas le temps de couper à la hache ou ben au sciotte tous les saint-michels, les fardoches, les aulnages qui étaient dans leurs jambes. Ça fait qu'après les coupes, y te restait une repousse de petit bois à la grandeur des bûchers. Une couple d'années après, tu passais à la même place, ça paraissait pas trop, la forêt restait belle. Vingt, vingt-cinq ans après, tu pouvais refaire chantier à la même place. Aujourd'hui, ça prend cinquante ans, rien que pour la pitoune; pour les billots, ça prend soixante-quinze ans. C'est ben certain que le monde travaille deux fois moins dur; les machines font une grosse partie de la besogne à la place des chevaux pis des hommes, mais, d'après moi, on magane la forêt deux fois plus. Remarque ben que j'sus pas ingénieur... Ce que j't'en dis...

Oui, ça fait drôle pour un homme comme moi, qui a quasiment été élevé dans le bois, qui a connu la drave dans les tentes, les *beds* à bœuf, le charriage avec les times de chevaux, pis après le hâlage en tracteurs avec des trains de douze, quinze *sleighs,* de voir ça aujourd'hui. J'ai rien contre la mécanique *mind you,* parce qu'y a des places où le bois pourrirait debout si c'était pas pour les tracteurs, pis les J-5. Mais, si tu veux mon idée, j'aimais mieux ça avant. J'ai toujours aimé mieux voir un beau cheval ressoudre au rouloué avec trois, quatre billots dans la chaîne, que de voir un J-5, avec une corde de pitoune dans le *rack.* J'ai toujours aimé mieux voir vingt-cinq, trente times de chevaux descendre les chemins glacés, un train de *sleighs* avec le tracteur au forçaille, que d'entendre gronder les *trucks* en compression dans les montagnes. C'est ben entendu qu'y a pas une maudite *sleigh* qui descendrait dans les abîmes où t'envoyes un *truck*. Y a ça que faut pas oublier. Mais ça fait rien... Tu me changeras pas..., je suis trop vieux asteure. J'ai manquablement tort, mais j'aimais mieux voir cent soixante-quinze, deux cents hommes dans le camp depuis la Toussaint jusqu'à Pâques, que d'en voir cinquante faire la même ouvrage aujourd'hui dans un été avec la scie mécanique. Au moins, on chômait quand y faisait beau. Pis j'ai toujours aimé mieux voir soixante-quinze beaux chevaux dans un étable, que trois, quatre tracteurs, pis autant de *timberjacks* devant un garage. Chacun son goût tu vas me dire, pis je respecte l'idée d'un autre... C'est comme ça que le monde avance.

Quand j'ai commencé à jobber, les chantiers se faisaient encore à la mode de l'ancien temps, autrement je me serais jamais parti à mon compte. J'aurais pas eu les moyens, parce que même dans ce temps-là, ça coûtait une centaine de mille piasses pour se mécaniser. Oui, j'avais laissé Ludger pour me partir à mon apport. Je m'étais dit que j'étais pas plus fou qu'un autre, que je devais connaître ça assez pour runner un chantier tout seul. Pis j'ai jobbé une secousse. Ça marchait numéro un, pis j'aurais probablement fait ma vie comme *jobber,* mais y m'est arrivé une *bad luck* qui m'a cassé les bras net.

144

Mon plus vieux: Lucien, était avec moi. Y était homme fait asteure, je l'avais drillé pour être mon *foreman*. C'était tout un homme: vaillant, vite, capable, l'œil clair dans la tête, intéressé, pas fou à part de ça, mieux instruit que moi pas mal, pour couper court, un maître homme. Je me disais en moi-même: j'ai les gosses béniés d'avoir un gars comme ça. Pis je travaillais le ventre à terre, tu peux penser, pour bâtir un affaire pour lui, pis mes autres enfants. On s'en venait pas mal à part de ça. Un matin, je l'envoye placer une couple de bûcheux dans le bois. En revenant, un maudit chicot de bouleau mort casse au vent, pis vient le fesser en plein front. Y est mort dans mes bras.

J'ai braillé comme un veau qui perd sa mère, la Viarge! J'ai sacré le bon Dieu à m'en casser les dents dans la gueule. Mais, ça a rien changé, tu peux penser: j'ai été obligé de l'enterrer pareil. Après, je me berçais des grandes journées en pensant à lui. C'est comme si en s'en allant, y m'avait emporté tout le cœur que j'avais dans le corps. J'avais plus le goût à ma besogne, au *fun* encore ben moins. J'avais même plus envie de manger. J'étais assommé comme le bœuf sous la masse. Le jobbage... J'aurais tout sacré ça là tout suite, si j'avais pas été obligé de finir mon contrat. Pour une fois dans ma vie, mes amis, j'ai haï le bon Dieu, pis j'ai maudit la forêt où j'avais passé ma vie, pis que j'aimais tant. Mon autre gars était trop jeune pour m'aider, me comprendre... J'avais plus de cœur à ça, *anyway*. Ce matin-là, j'avais vieilli de vingt ans...

J'avais vieilli à un âge où tu pars plus à ton compte, où tu plonges plus, où tu joues *safe*... Une fois la *run* finie, j'ai vendu ma *rigging* de chantier... Je me suis débarrassé de tout ça. Je voulais plus rien voir.

Pis là, petit à petit, ma peine s'est endormie tranquillement. Pis fallait ben que j'arrête de piger sur le vieux gagné, que je fasse vivre les autres. C'était toujours pas de leur faute si y m'avaient pris Lucien... Comme je connaissais toujours rien que le bois, je suis retourné: *foreman* pour la C.I.P., ensuite pour la Bathurst, pour me rapprocher de chez nous. Un bon printemps, en 53 si je me rappelle ben, Ludger a ressoud chez nous. Y a dit: «Ovide: j'ai acheté une limite icitte à Cascapédia. C'est pas trop loin de chez vous. Viendrais-tu *foreman* pour moi? — Oui, Ludger! Mais, à condition que Lida suive. Mes enfants sont grands asteure, je vieillis, pis j'veux avoir ma femme avec moi. — C'est pas un problème, que Ludger a dit. On va s'installer, pis après ça, a l'aura rien qu'à venir rester avec toi. Tu vas avoir ton camp à toi tout seul.

Mais là, mes amis, c'était pas les camps en bois rond chauffé à la truie qu'on avait connu dans les premiers temps. Non monsieur! Un vrai village! L'électricité, les douches, le chauffage à l'huile, la télévision, toute! On était logé comme des rois. Pas longtemps après qu'on a été installé, y ont fini la route de Sainte-Anne-des-Monts à Cascapédia. Quand on voulait descendre, deux petites heures après on était à la maison, été comme hiver. On a settlé la question de salaires, pis une douzaine de jours après, j'ai pris le bois avec Ludger. Lui, y s'occupait de bâtir le moulin pis les camps, moi je m'occupais des chantiers. Ludger m'avait garanti que le moulin serait prêt pour Noël. Ça y prenait cinq millions de pieds de bois pour le faire runner jusqu'au printemps. Y a tenu son bout du bargane, pis moi j'ai tenu l'autre. On a scié nos cinq millions de pieds de bois.

Mais on a travaillé en baptême, par exemple... On est arrivé à la fin d'avril, en plein bois vert, à quarante milles de la mer, pis à quatre milles encore de la place du moulin. On s'est tenté à Lazy Boggan, sur l'emplacement du club à saumons. C'est là que la route finissait. Fallait faire quatre milles de chemins en plein bois vert, pour se rendre à la place de camps. Ça pas été un *party*.

Pas parce que c'est une montagne de faire quatre milles de chemin. C'est *just a peanut*, quand y fait beau. Mais on était pas si tôt arrivé, que la pluie nous a ramassés. Une grand semaine sans lâcher. La rivière montait d'une couple de pieds par jour. Une nuit, le *cook* se lève en peur, pis arrive à notre tente :

— La rivière va partir avec la cookerie, qu'y dit.

— Cesse donc de te faire des peurs, pis laisse-moi dormir.

Mais non, y disait la vérité. La rivière était en train de manger la *bank,* pis vite à part de ça. A fallu se lever, pis mouver la grand'tente, autrement, le *cook* se serait ramassé le cul à l'eau ga-

147

ranti. Y aurait pris une belle *ride* parce qu'a charriait joliment. Mais là, tu peux ben penser, on n'a pas redormi de la nuit.

On est venu à bout de faire un feu, on s'est assis sur les bancs autour de la table (on avait fait une manière de comble par-dessus pour pas manger nos bines dans l'eau), pis là, le *fun* a quasiment poigné. Les gars ont commencé à parler des gros coups d'eau: « Te rappelles-tu telle année quand ça a inondé à telle place? » « Oui mais, ça c'était rien »... Ça se relançait l'un l'autre comme ça, pis chaque coup, l'eau montait un peu plus haut. J'ai pensé en moi-même, je vas vous laisser vous relancer une petite secousse encore, pis après ça, ça va être mon tour. Pis là, je leur ai conté la grosse *flood* que j'avais vue en Abitibi. J'ai dit:

— Ça icitte, les gars: c'est rien. Y a rien qu'une couple de ponts d'arrachés, le chemin est toujours lavé rien qu'une couple de milles de long... Mais, en Abitibi, j'ai vu une *flood* que l'eau montait au deuxième étage des maisons. Oui, monsieur! On était dans les châssis d'en haut avec des gaffes pour empêcher la pitoune de rentrer dans les maisons. Ça, c'était une *flood*. Les gars avaient pas l'air trop sûrs de leur affaire... Y savaient pas trop si je disais la vérité, ou ben si je leur passais un sapin. J'ai pensé en moi-même je dois être bon pour un autre:

— Pis l'année du gros coup d'eau en '34, pas longtemps avant le feu de la Pat, vous vous rappelez de ça? Par chez vous, c'était peut-être pas aussi pire que par icitte, mais nous autres... Ça

148

faisait frémir. Les arbres descendaient dret debout dans les rivières. Le barachois floodé à la grandeur. C'était une mer partout. Le lendemain matin, y décident de partir le moulin pareil. T'aurais dû voir ça... Tu voyais monter ça dans la *drag,* sept, huit harengs, une pitoune, sept, huit harengs, une pitoune.

Ah ben là, par exemple, ça a pas poigné. Y ont dit:

— Calvaire! nous prends-tu pour des fous, toi. Slaque un peu, baptême: sept, huit harengs, une pitoune!!!

Là, le fun a poigné pour de vrai, pis on s'est conté des peurs jusqu'au jour. On a rattelé de bonne heure tu peux penser. Mais avec une pareille maudite pluie, ça avançait pas raide. La terre était détrempée comme de la pâte à crêpes, on se perdait sur les montagnes, les tracteurs pataugeaient dans la bouette du matin au soir, se calaient. On était obligé de les tenir deux ensemble, pour wincher celui-là qui restait pris. Vers le milieu de mai, le beau temps a pris, pis y a fait beau le restant de l'été.

Mais, si le bon Dieu avait décidé de nous laisser faire notre chemin en paix, les castors chantaient pas la même chanson. Un bon matin, y ont dit: On écluse ça, nous autres. À tous les matins que le bon Dieu amenait, le chemin était floodé. Euclide arrivait avec son *bull,* pis culbute l'écluse. Dans la nuit, y la rebâtissaient. Défais, rebâtis, rebâtis, défais, ça a pris audessus d'un mois à les écœurer. C'est là que j'ai appris qu'un castor, c'est vaillant, pis ça lâche

149

pas vite. Mais, faut pas que tu penses que nos troubles étaient finis avec ça. Avec le beau temps, le bonhomme Beach a ressoud, pis là, a fallu clairer son terrain, pis vite à part de ça. A fallu se trouver une autre place de tentes.

Les brûlots en ont profité pour s'installer avec nous autres, pis après eux autres : les maringouins, pis la mouche noire, pis pour finir la mouche à chevreux. On dormait pas des grands nuittes de temps. Graisse, pis frotte avec tous les maudits *stuffs* que tu peux imaginer, y en a même qui mangeaient des pilules... paraît que c'était supposé être bon... Paraît... Une demi-heure après y recommençaient. Poune couchait dans son char lui. Mais tous les matins vers trois heures, Chocolat se levait, approchait sur le bout des pieds, ouvrait une porte ben doucement, pis baissait la vitre. C'était pas long. Dix, quinze minutes après, Poune sortait de là en sacrant, la face toute bouffie de piqûres, enragé ben noir : c'était pas un homme, c'était le diable, la Viarge !

Toujours qu'on est venu à bout de faire le chemin jusqu'à la place de camp. Rendu là, on a bûché un *spot* d'une vingtaine d'âcres carrés, on a ramassé le bois, on a défriché ça au *bull* à la grandeur. Ça faisait tout un parc, tu peux me croire. Les ouvriers ont monté tout suite après, pas moins qu'une vingtaine, pis les camps des hommes ont commencé à grimper. Ensuite la cookerie, l'étable, la boutique de forge, la *shed* à foin, mon camp, celui-là des colleurs, celui-là à Ludger. On a été chercher l'eau dans le Brandy

Brook, à peu près deux mille pieds plus loin, on a installé un bélier pour pomper ça dans la *tank*. Maudit bélier... On n'a pas vu l'heure de le faire toquer, l'animal. Pendant tout ce temps-là, ben entendu, le moulin montait lui aussi. Au fur et à mesure que les camps des hommes étaient prêts, on les remplissait de bûcheux. Tout ça peinturé blanc, ben propre. C'était beau, pis *swell* itou. On a fini l'installation en octobre, le moulin en décembre. Ça a pas traîné, tu peux me croire, ça marchait d'avant parce qu'on manquait de rien.

Là, vous me croirez pas, parce que c'est quasiment pas croyable mais, tout le *stock,* quand on dit tout: les provisions, le bois, les outils, les châssis, le clou, la tôle, la *rigging* du moulin, *boiler,* engin, *straps* tout au *goddam,* les chevaux pis leurs effets, l'huile, la mécanique, les tracteurs, tout, à part trois, quatre voyages de *truck,* tout ça j'vous dis a été partagé là par un homme. Pis y était pas à la porte, *mind you.* Ça y donnait trois cents milles du voyage aller-retour. Alphonse Pelletier! J'ai jamais vu un homme aussi chien dans toute ma vie, pis pourtant, j'en ai connu des gars *toughs,* pis capables, pis vaillants. Mais comme ça, jamais! Y arrivait en haut:

— On a besoin d'effets, Phonse. On a besoin de bois, on a besoin de *van.* On a besoin de ci, on a besoin de ça. Peux-tu y aller ou ben si j'envoie un autre *truck*?

— Non! J'y vas.

Une tasse de thé fort, une poignée de galettes... Alphonse sautait dans le cinq tonnes pis envoye en bas. Jour et nuitte, six mois de temps! Des grands semaines sans se déshabiller. Y arrivait en pleine nuitte, se trouvait un petit coin, s'étendait tout rond, dormait un peu, pis *all aboard.* Jour et nuitte, nuitte et jour, semaine comme dimanche. Si cet homme-là a dormi trois heures d'*average* par jour, c'est autant. Comment y a fait pour toffer ça, pour pas s'endormir au volant, je le saurai jamais, pis je le comprendrai jamais non plus. Phonse Pelletier!

Toujours que le lendemain des Rois, le moulin a décollé. Au bout d'une couple de jours pour le setlage final, y s'est mis à scier ses cinquante, soixante mille pieds par jour, ses vingt, vingt-cinq mille de lattes. On faisait une dizaine de mille pieds d'*overun* par jour. C'était un moulin à stime. Dans le temps, je pense qu'y avait pas encore de moulin électrique dans le Québec. Y avait pas encore de *chip-mill* non plus. Une grand scie avec un *carriage,* une catherine, un *edger,* une machine à lattes. Y avait vingt-deux, vingt-trois hommes pour marcher ça. À part de ça, trois hommes au *slip*, un cheval pour clairer le *slip,* quatre pileux dans la cour, un scaleur, pis deux hommes pour entêter le bœuf. Un brûleur dehors pour brûler les restants de *slabs* qui passaient droit au cochon.

Dans le bois, y avait une centaine de bûcheux, dans leur *set* de camps à part. Des camps portatifs installés sur des *skids.* On déménageait ça tous les deux, trois ans, au fur et à mesure qu'on finissait de bûcher les différents blocs de la limite. Quand tout ça marchait ensemble, avec les chauffeurs de *bull,* les truckeurs, les colleurs, les commis, les *cooks,* on était cent cinquante, cent soixante hommes dans le bois. C'était un feu roulant six jours par semaine. On avait jamais le temps de s'ennuyer. On a eu des petits problèmes comme tout le monde, mais jamais de vraies grosses *bad lucks.* Jamais de feu, un accident qui a tué un homme. Un dans quinze ans d'opération. On peut pas dire que ça marchait pas rondement.

Même si la moitié des gars avaient un char, qu'y venait du monde d'en bas deux, trois fois par semaine, le *roll* de vie était pas mal pareil comme dans les vieux camps d'avant. Seulement, les hommes descendaient chez eux tous les quinze jours. Le soir, les gars jouaient aux cartes, une petite gang au *bluff,* pis les autres écoutaient Séraphin, les Plouffe, le Survenant, le Chenail du Moine, la *game* de hockey. Le midi, y en a quelques-uns qui poignaient les Troubadours, pis Francine Louvain Bonjour! Les gars allaient faire leur petit tour à l'office pour la *van* ou ben les affaires, mais y avait une petite gang que l'office, c'était leur coin pour veiller. C'était quasiment toujours les mêmes. Y attendaient que le gros des hommes aient fini leurs affaires, pis y arrivaient. Y écoutaient la radio, jouaient aux cartes mais surtout, se contaient des peurs. Quand j'y pense, je peux pas faire autrement que penser à Ernest le malin. Y était malin *all right,* bucké, pis kickeux à part de ça.

Y l'appelait Ernest le malin, pour le démêler avec Ernest le marabout, son cousin.

Paul Landry était commis ces années-là. Son *fun,* c'était de monter Ernest le malin. Y avait le tour comme pas un. Sérieux comme un pape, y crinquait Ernest, l'air de rien. Ça prenait pas de temps: l'autre était prompt comme la poudre. Un coup, Paul s'était mis en train de mettre dans la tête à Ernest que les ondes vibratoires, y avait pas de bout à la force de ça. C'était aussi fort que la gelée. Oui, monsieur! qu'y disait... T'as rien qu'à faire vibrer assez fort, pis tu vas casser le fer. Ernest voulait pas ça pantoute.

— T'as menti plein ta gueule! Ça prend un gars instruit comme toi, pour craire des maudites folies de même.

Les coups de poing sur le bord du comptoir, mes amis. Mais Paul lâchait pas.

— Écoute, Ernest, c'est toujours pas pour rien que dans l'armée, quand les régiments traversent un pont, y font casser le pas aux soldats, pour pas écraser le pont!

— Es-tu fou, Saint Supplice? Un pont qui tient quinze, vingt *vans* chargées ben dures, qui pèsent des centaines de mille livres, t'es toujours pas assez craqué pour venir me dire dans ma face, que ça porte pas une couple de cents soldats, quand ben même y stepperaient dessus à user leurs semelles.

— Tu comprends mal, Ernest. C'est pas le poids, c'est la vibration justement. Gauche, droite, gauche, droite, toujours égal, toujours pareil, c'est ça qui fait la vibration.

— Va donc chier, calvaire! Prends-tu le monde pour des fous?

— Non, Ernest, je te prends pas pour un fou. Pis c'est justement parce que je te prends pas pour un fou que je veux t'expliquer une chose qu'un autre fou comprendrait... Tiens, on va prendre un autre exemple: la musique. La musique produit des ondes vibratoires. Si t'avais une musique assez forte, tu pourrais jeter n'importe quelle bâtisse à terre.

Je dis: «Y ont ben dû jouer le Money Musk au pont à Duplessis, la Viarge!»

Là, le fun poigne, tu peux ben croire. Ernest se choque deux fois plus.

— Y a pas moyen de parler du sérieux avec une maudite gang d'innocents comme vous autres! Un *foreman* en plus de ça!... C'est *foreman*... ça! Bonsoir!

Pis y sacre le camp en claquant la porte, que la vitre en revole quasiment.

Fallait ben se faire un petit brin de *fun,* tu penses pas? Parce que couper cinq millions de pieds de bois, le trucker au moulin, ça commençait à ressembler à de l'ouvrage. Je pouvais pas m'occuper du moulin en plus, c'était mon frère Télesphore qui était *foreman* pour ce bout-là. Moi: les coupes, pis les chemins. J'avais deux tracteurs avec moi, pis des gars pour débarrasser la *trail* en avant, dans mes plaques. On a frappé des places roffes assez. La savane du lac Paterson par exemple. Maudite savane... je pourrai dire qu'a m'a fait faire du sang de chien. On a été obligé de ponter de place en place,

155

autrement, on serait encore là. Les savanes : un cabouron icitte, un bourdillon là, une poche de commis, pis là une mollière, pis tantôt un corps mort, pis une couenne, pis une mousse, pis un autre cabouron... Tu marches là-dedans ; tu cales à moitié de la jambe pareil comme dans l'éponge. Tiens, v'là une botte pleine d'eau..., saute sur un buton qui a l'air solide..., recale encore. Pis les mouches là-dedans ! Nom du Père ! T'en as dans les yeux, dans le cou, dans les manches, dans les oreilles, dans ta *fly* de culotte, dans la gueule si tu la fermes pas. Si t'as grand comme l'ongle de peau à l'air, y en arrive un cent : arrachent le morceau pis vont le manger sur une chousse. Bétail maudit. Ça serait trop beau dans le mois, si c'était pas de c'te maudite rapace-là.

Bon, asteure qu'on a sauté la savane, on peut ben faire un petit bout de chemin sur le bon terrain, tu penses pas ? Dans les places graveleuses moyennement, pis un peu d'adon, on faisait notre mille de chemin à deux *bulls* dans une journée assez souvent. Un coup comme ça, j'étais avec Euclide Leclerc. On était en train d'ébouriffer du chemin sur le Berry-Brook : tu sais, ôter le plus gros, les fardoches, les Michels, pour se faire de la place, pour shaper le chemin après ça. À un moment donné, Euclide donne un coup de *bull* sur une couenne... Ça ressoud, ça, monsieur ! Manière de sautille. Moitié rat, moitié écureux : une grande maudite queue plantée en arrière de ça, avec une manière de boursouffle blanche dans le bout. Un saut croche icitte, un saut croche là, pis rien que sur les pattes d'arrière s'il vous plaît! J'ai dit à Euclide:

— Qu'ossé que c'est ça?...

Y dit: «Je le sais pas, j'ai jamais vu ça de ma vie».

— Passe moi ta mitaine de cuir, faut que j'essaye de poigner ça.

Pis me v'là parti après ça. Mais je t'en foute: un saut icitte, un saut là, quasiment comme un lièvre: j'ai jamais été capable de mettre la patte dessus. Pis pour te dire la franche vérité, j'aurais peut-être ben réussi, mais, sais-tu, j'avais à moitié peur!

Rendu en bas le soir, je conte ça à Bill, pis j'y demande:

— Connais-tu ça, toi?

— Ça, Ovide, c'est une gerboise que t'as vue là, qu'y dit.

Pis, y part, s'en va à son camp, pis revient avec un gros livre. Y avait des bêtes de tous les poils là-dedans. Y vire les pages avec son doigt..., à un moment donné, y arrête, pis y dit:

— Tiens, ça serait pas ça?

La Viarge! Ma gerboise était là devant ma face. Son portrait... en couleurs, s'il vous plaît. « C'est en plein ça!» que j'y dis. Pis en moi-même, je pense: que c'est donc beau, l'instruction! Ça fait cinquante ans que je cours le bois, je vois une bibitte que je connais pas, mais lui, y l'a déjà vue... dans les livres...

Mais, on voyait pas rien que des bibittes rares, on voyait du monde rare itou. Y arri-

vaient au mois d'octobre. Habillés en rouge. De loin, t'aurais dit une convention de cardinals. Des fois, habillés en gars chauds itou, armés jusqu'aux dents. Vaillants assez pour travailler des grands journées, même des grandes nuittes sans arrêter. Rien pour leur faire peur... La pluie, la grêle, la neige, la noirceur, les chemins roffes, les *trails* coulantes comme du savon, les *swamps* détrempées, les montagnes qui montent comme la face du chien bouledogue, pas de différence. Des grandes soirées, pis des grandes nuittes à se faire geler dans des échafauds, *never mind*!, y cherchent un orignal. Pis quand un homme cherche un orignal, mes amis, y vient fou raide à attacher. J'en ai vu une quarantaine d'années de suite moé, pis chaque année c'est la même chose, y changent pas d'une année à l'autre. Si y a quelque chose, y rempirent. La première chose de toutes, y sont pas difficiles:
— On voudrait ben, mais on a plus de place...
— Ça fait rien, trouvez-nous un petit coin, n'importe où, on va coucher à terre: on est accoutumé, on a des bons *sleeping bags.* On va s'arranger, inquiétez-vous pas.

Pis, y t'ont un appétit pour manger le fer. Y arrivent pour une semaine, qu'y disent, mais se mettent à débarquer de la *grub* que tu nourrirais une grosse famille un mois avec, mais ben souvent y touchent quasiment pas à ça. Y aiment mieux aller à la cookerie. Deux piasses du repas... Le *cook* leur donne trente-cinq cennes de bines... eux autres crachent une piasse de *tip* par dessus le marché. Si tu les laissais faire, y le souleraient en plus, pis probablement tout le campe avec.

Mais, y ont pas rien que faim, y ont soif. Pis y se connaissent. Ça fait qu'y sont parés. Pour un œuf, y ont une bière, pour un jambon, un gros gin. En général, (manquablement pour pas geler), y mélangent leur *prestone* avant de prendre le bois: moitié sang, moitié gin. Après ça, y sont prêts à faire feu. Plus peur de rien, prêts à tuer comme y crachent à terre. Pis prends ben garde de pas tomber dans leurs mires, parce qu'y peuvent te torcher avec une balle de .303, comme rien en toute. Le bois, c'est à eux-autres; évade, défourre de là. Ton chantier? *Never mind!* Tu feras ça une autre fois... plus tard... un autre tantôt. Toi, ben entendu, tu veux du temps sec, pour que les bûcheux soient pas détrempés jusqu'aux os, que les machines cessent de patauger dans la vase. Eux autres, y veulent une bordée d'un pied, pour pouvoir suivre les pistes comme y faut. Un peu plus y feraient leur prière pour ça. Quand y neige, y viennent fous comme des petits gars qui se garrochent dehors faire des bonhommes de neige à la première bordée de l'hiver. On était pas plus content quand la Saint Jean-Baptiste arrêtait l'école.

Mais neige, pas neige, tous les soirs, y sortent le cornet. Pis là monsieur, y se mettent à parler orignal. Pour faire venir un *buck* qui est au loin, y parlent femelle une secousse, pis là, switchent ça en *buck.* Paraît que le *buck* qui est au large vient enragé ben noir, pensant que sa blonde y joue dans les cheveux avec un autre.

159

Là, monsieur, les saint-michels en revolent en l'air. Le poil dret sur le dos, la bave à la gueule, y ressoud, pire qu'un gars jaloux qui poigne sa femme avec son meilleur *chum*. Mais, y en a qui font mieux que ça: y traînent un thépot plein d'eau, pis lâchent ça à terre en callant. Y paraît que la mère quand a l'est en chaleur, ça la fait pisser. À jase une secousse, pisse une secousse..., pis a recommence. Le *buck* en perd la tête net. Là y se dit: j'peux pas me tromper, est pas en train de jaser avec le voisin... a pisse! Y vient quasiment aussi fou que les chasseurs. J'en ai vu d'autres s'ostiner ben dur, pis dire que le thépot c'est pas bon, c'est pas naturel. Ceux-là, y se retiennent que la vessie leur monte dans les yeux. Y ménagent leur pisse pour quand y callent. J'en ai insulté un ben noir un coup, en y disant de vider son gin à terre, que d'après moi ça serait meilleur. Y a pas aimé ça. J'pense que si j'avais pas été *foreman,* y aurait ajusté sa carabine sur moi.

Mais je vous ai pas dit comment y font quand y callent... y poignent le cornet d'écorce à deux mains, pis y partent ça d'à terre en montant. Un petit rond en partant, pis en relargissant à mesure qu'y se redressent. Rendus debout, le rond est rendu à quatre pieds de grand. Tout en faisant ça, y se brassent le porte-crottes en même temps. Une tassée d'eau à terre... Y attendent une secousse pis recommencent. Un coup, Ludger était en train de caller avec Valois.
— Comment tu trouves ça, Elphège?
— Je vas te dire, Ludger, si j'étais un *buck*, ma

160

grand-foi du bon Dieu, je te grimperais dret là !

Moi, je suis pas chasseur. J'aimerais peut-être ben ça, mais je suis toujours pris par mon ouvrage dans le temps de la chasse. En plus de ça, un travaillant a pas le droit de traîner un fusil dans le bois ; ça fait que je me contente de regarder les chasseurs... Mais j'ai beau regarder, pis regarder encore, j'sus pas capable de comprendre une pareille maudite rage. D'ordinaire, en temps normal, c'est du monde normal, mais là, y en perdent la carte, pis le sommeil. Pas question de se coucher la nuitte, non monsieur... Y se couchent quand l'original est supposé dormir. Pas question de se laver non plus. Un orignal se lave-t-y ? À part de ça, l'odeur du savon, c'est pas supposé être bon. Paraît que l'orignal aime pas ça. C'est curieux, mais j'ai jamais entendu un chasseur dire que la senteur du gin, c'était pas bon. J'en ai vu mettre des petites branches de cèdre dans leurs poches. C'est supposé être extra qu'y disent... Pis, pas question de se shaver. Si y pouvaient avoir du poil plein le front pour avoir l'air plus original, ça serait champion.

Y décollent au petit jour, pis cherchent des pistes. Mesurent ça... Ça, c'est un *buck,* un quatre-ans. Ah oui ! parce que rien qu'à regarder, y savent comment le *buck* chausse, comment y pèse, quel âge y a, si y est pressé, ou pas, à quelle heure y est passé, ce qu'y a mangé, où y a fait sa crotte. Ça, la crotte, c'est quasiment capital. Y la poignent, l'examinent, la mettent sur le poignet, tu sais comme ta femme fait pour voir si la bouteille du petit est pas trop chaude. En examinant la crotte comme ça, y peuvent quasiment te dire comment de pieds l'orignal est en avant d'eux autres pis de quel bord qu'y regarde. Là, y partent après ça. J'en ai vu courir des grands semaines comme ça après des pistes. Y ont pas l'air à fatiguer. Un petit coup de gin de temps en temps, pis envoye par là. Pas d'ar-rêtage. Pis va pas les déranger, ça les met en maudit. Y aiment assez avoir la paix quand y chassent, qu'y amènent leur gérant de banque avec eux autres... Arrête un peu! c'est sérieux c'te affaire-là.

Faut dire, qu'y en a dans la gang qui sont moins patients. Si y tuent pas la première, la deuxième journée, y rentrent dans le camp, pis en ressortent plus. « Y en a pas... on perd notre temps... y a trop de chasseurs. ...j'ai perdu ma *luck* le premier matin » ... Ainsi de suite. Là, y noyent leur peine assez creux, que tu peux pas voir le fond même quand y a pas de houle. Un orignal pourrait venir se bercer sur la galerie, y l'entendraient même pas. Un coup dégrisés, un peu, y voient les pistes autour du camp, pis par-tent après ça encore une fois, mais l'orignal les a faites la veille... Ça y donne une avance.

Y en a d'autres qui attendent d'avoir tué pour fêter. Mais là, c'est sérieux. Un verre at-tend pas l'autre, pis plus que les verres viennent dru, plus que l'orignal reloigne. Sur le matin, y a des coups de fusil qui ont été te chercher un orignal entre les deux yeux à un gros demi-mille. T'as beau aller voir, l'orignal a pas de trou dans le front. Y est criblé de balles dans la panse par exemple, y a pas moins que deux pattes de cassées, la moitié de la viande gaspillée, mais ça fait rien, le gars dans le camp continue à te couper les écureux en deux, à cinq cent pieds avec sa .30-.30.

Ces bêtes-là, les trois quart du temps, c'est nous autres qui sort ça du bois. Pis crains pas, y sont quasiment toujours dans des maudits trous sales que tu manques en perdre le cheval. Parce que l'orignal, lui, monsieur, y s'accouple dans les mollières... Y aime son confort. C'est son affaire, tu vas me dire, pis tu dis vrai, mais c'est pas un cadeau pour le haler sur le sec. Mais ça serait encore pas trop pire, si c'était pas des maniaques du Kodak. Eux autres, y faut qu'y firment tout ça. Oua. Mais les gars sont pas acteurs, le diable: Poigne le panache... relève la tête un petit peu... taponne la langue (un orignal mort te fait toujours la grimace), ramasse le *pinch,* flatte ça un peu, ricanent à travers de ça, pis là, y savent plus trop quoi faire. Mais y faut qu'y recommencent parce que le gars qui firme trouve ça bon, lui. Pour finir, le chasseur embarque à cheval sur son orignal, y met sa carabine dans le panache, prend sa bouteille de gin d'une main, envoye des bye-bye de l'autre, pis le cheval part avec tout ça au derrière. L'orignal, c'est pas encore assez pesant...

Une fois rendu au chemin, y te donnent un gin pour te remercier, un *tip,* pis te font ben rappeler de passer chez eux: y aura toujours un *steak* débité qui va t'attendre. Comme le gars reste à Rimouski ou ben à Québec, y a à peu près autant de chances de perdre son *steak,* que toi de gagner le million à Drapeau. Là, y leur reste plus rien qu'à sacrer le camp, parce qu'un orignal que tu promènes pas à la grandeur du comté deux trois jours, ça vaut pas la peine de le tuer. Y s'en vont contents, heureux, pis y oublient surtout pas de te dire que tu peux compter sur eux autres pour l'année suivante. À moins d'être dans le plâtre jusqu'au cou, y vont revenir. Crains pas, y tiennent parole. Y racheveraient leur belle-mère mourante, pour être ben certains de l'enterrer avant l'ouverture de la chasse.

Ceux-là qui ont pas tué eux autres, y sont moins polis, moins sûrs de revenir. Y reviennent pareil, *mind you,* mais on dirait qu'y voudraient que t'insistes un petit peu... Tu t'es fendu le cul pour ben les recevoir, mais:
— Je sais pas..., c'est pas diable..., l'orignal a ben diminué icitte..., je sais pas..., je vas peut-être ben aller chez Tit-Coq, ou ben chez André..., en tout les cas..., on va se revoir.

Y voient plus l'heure de crisser le camp par exemple. C'est vrai qu'y font pitié. Ah! y sont spéciaux à voir: la face morne, la figure piteuse comme un *cook* qui a fucké sa cuite de pain, y feraient faillite qu'y auraient pas l'air plus bêtes. Y ont l'air malheureux comme les roches. Tu sens que pour eux autres, c'est une année gaspillée. Imagine... Y ont pas tué. On est quasiment content de les voir partir... découragés comme ça... On sait jamais ce qu'un homme peut faire... avec deux trois carabines dans les jambes tout le temps.

Y viennent à bout de repartir, avec leur face de ville pour arriver en bas. Oui, y ont pris le temps de se shaver ; pis nous autres, on peut enfin faire notre besogne tranquille. On peut reprendre le bois sans être toujours à moitié en peur de se faire tirer dans le corps, par un gars habillé en rouge, avec des poches d'air dans la tête, pis du gin plein les veines.

Mais, y faut que toute chose ait une fin. Une limite, quand y a plus de bois à bûcher dessus, faut que tu la laisses reposer. Pis des fois, quand t'es rendu à mon âge, faut que tu penses à te reposer toi itou... Pis peut-être ben à crever... Mais craignez rien..., la minute qu'y vont me dire ce que j'ai, j'vas vous le laisser à savoir. En attendant, je pense que j'vas m'allonger un petit peu. C'te maudite partie de chasse-là m'a fatigué, que le diable m'emporte...

7

On a déjà parlé de la drave pis des chantiers, mais on faisait pas rien que travailler, on s'amusait de temps en temps. Pas comme asteure, comme de raison. Ça se comprend, y avait pas d'assurance-chômage, pas de service social, pas d'hôpital gratis. T'avais pas le choix: fallait ménager.

Ça gabotait même pas l'hiver. À la première grosse bordée, on mettait les chars sur les blocs. À peu près aux alentours de la Toussaint. La Toussaint... C'était quelque chose, la Toussaint, y a une trentaine d'années... C'était une manière de stop, comme la claquette des bonnes sœurs pour arrêter la récréation. Sers ton char..., si t'en as un. Y en avait pas beaucoup... Quatre, cinq par village, mais la plupart du temps, le lendemain de la Toussaint: dans la remise, les bazous. Le spotteur serrait son bicycle lui aussi pis tombait en chômage pour six mois. La Toussaint... Même si tes bêtes à cornes avaient la neige au ventre depuis deux semaines, fallait que tu l'attendes pour les mettre dans l'écurie. Y avaient beau se coller le nez dans la porte de

167

la grange du matin au soir; beugler du soir au matin, fallait qu'y toffent jusqu'à la Toussaint.

La Toussaint... Le signe pour gréer la *rigging* de chantier, même si t'étais en plein été des sauvages, soixante degrés à l'ombre. C'est vrai, par exemple, que ça arrivait pas souvent. La plupart du temps, la bordée de la Toussaint te manquait pas, les voitures traînantes pouvaient partir pour le bois. La Toussaint... Le mois des morts... Le mois de la mort! Jusqu'à l'été qu'on tuait une bonne fois pour toutes, ce matin-là. Les châssis doubles. Les Avents qui s'en venaient. La neige à pleines pagées, les vitres frimassées, la noirceur à quatre heures. Les femmes tout seules au bord avec les petits, pis nous autres dans le bois, à s'ennuyer des grands dimanches pas de cloche. La misère...

Ceux qui restaient au bord sortaient le borleau, attelaient Catin, pis allaient voir les filles en regardant les grelots danser sur les ménoires. Mais vous direz ce que vous voudrez, avec des bonnes peaux de buffalo, un bon capot de chat, c'était plus confortable que le *skidoo,* pis ça restait pas en *wrack* souvent. En tout cas, ça empêchait pas le monde de dormir. À part de ça, j'vas vous dire une chose moi: j'ai soixante-quinze ans mais je suis pas encore assez vieux pour avoir entendu parler qu'un gars s'était tué en carriole.

À Noël, la plupart des gars redescendaient des chantiers. Y avait rien qu'une petite gang qui restait en haut pour garder, soigner les chevaux, chauffer les camps, mais la majorité descendait au bord. À pied, s'il vous plaît! Y était pas question que le *jobber* nous passe ses chevaux. C'était normal: les pacages au mois de janvier, hein? Pis les écuries étaient fermées en bas. Pis ça se faisait pas. C'est toute! Ceux qui voulaient descendre avaient rien qu'à prendre leur *packsack*, fourrer leurs guenilles sales dedans, un lunch sur le dessus, pis envoye en bas. Les raquettes sur le dos, au bout d'une gaule d'épinette quand la *trail* était bonne; dans les pieds quand elle était trop molle. On partait au petit jour. Une dizaine d'heures après, on ressoudait à la maison, magannés un peu tu vas me dire, mais encore assez *smarts* pour dire un beau bonjour aux créatures... C'est vrai qu'après deux mois sans les commandements..., on était pas mal primes.

Mais c'est pas de ces amusements-là que je voulais vous parler... Je voulais vous parler des autres. L'hiver, ben entendu, y avait pas grand'chose. Y avait pas grand monde au faubourg. Ensuite de ça, aller veiller en raquettes, c'est pas toujours commode. Pis le mercredi des cendres slaquait ton *fun* en maudit. Y avait ben la mi-carême, mais c'est pas dans une journée que tu te refais un perre. On en profitait pareil tant qu'y a moyen. Les enfants se barbouillaient la face, s'habillaient avec des guenilles; ceux qui avaient assez de cennes achetaient un masque au magasin général, pis la gang faisait la tournée des maisons. Y rentraient, pis motte, pas un son: y voulaient pas se faire reconnaître. On les questionnait un peu, mais comme y réponnaient pas, on leur donnait un *candy* pour qu'y sacrent le camp ailleurs.

Après ça, c'était le tour aux grandes personnes de s'amuser. Pas tout le monde. Ah non! Rien que les plus fantasques. Y faisaient une veillée; prenaient un petit coup; swingaient la baquaise dans le fond de la boîte à bois jusqu'aux petites heures, pis se tenaient le corps dur jusqu'au dimanche. Là, le curé leur tombait sur la couenne. Y leur envoyait pas dire: Les folies, fallait que ça cesse. Le carême, c'est pas un *fun*. On se prépare pas à la semaine sainte en ginguant comme des païens. Maigre-jeûne, c'est maigre-jeûne. Maigre, c'était pas trop pire. Avec une famille de douze, quinze enfants dans le temps de la Crise, on connaissait ça. Y avait plus souvent du chiard de goelette sur la table que du *T-Bone*. Seulement, si t'ajoutes le jeûne à ça, ça commence à être toffe en maudit. Mais dans le temps, fallait passer par là. La religion, c'était carculé au compte-gouttes. J'ai connu des bonnes femmes moi, qui pesaient leurs *toasts* tous les matins. Quand y avait plus que deux onces, y arrachaient de la croûte. Oui, monsieur! Après ça, y trouvaient le tour de faire leur besogne pis de torcher une ribambelle de petits: le ventre quasiment vide, à moins qu'y avait un petit dedans... Y étaient pas tuables, la Viarge! Ça faisait pas toujours des enfants forts, mais y étaient pas souvent décollés à la moulée de croissance non plus...

Oui! l'hiver, c'était long, ça finissait pas de s'étirer, comme de la tire sur la croûte gelée.

Y avait ben une patinoire de place en place, dans les gros villages, mais la plupart du temps, on patinait sur le lac ou ben sur la rivière. On se mettait le catalogue Eaton sur les jambes, pis on vargeait sur la *puck* des grands après-midi de temps. Les Maurice Richard mouillaient pas dans le coin, mais on avait du *fun* pareil.

Y en a d'autres qui glissaient dans les côtes. Avec des traîneaux, des chiennes ou ben des tobbaganes sur la croûte. Quand elle était bonne, on prenait des *rides* de quasiment un mille de long. Au Lac, on montait sur le dessus de la Côte-Croche, pis on se rendait jusqu'à la station, pas moins qu'un demi-mille plus bas. Ça glissait dans la côte des Price, pis dans celle du presbytère itou. De temps en temps, y se cassait une gueule, mais la plupart du temps plus de morve que de sang. Ah oui, ça glissait en tape-cul aussi. Un tape-cul ça, c'était moitié ski, moitié traîneau. Tu glissais assis là-dessus. C'était pas compliqué à faire. Tu prenais une douelle de quart de lard, une petite bûche d'une vingtaine de pouces de haut, pis un bout de planche à peu près la même longueur. Tu collais la bûche dans le milieu de la douelle, pis tu collais ta planche sur le haut de la bûche. T'avais plus rien qu'à bracer la douelle comme il faut après la bûche avec une broche à foin tortillée ben raide, pour que ton ski reste retroussé, pis solide. Tu cirais ça à la paraffine, pis *all aboard*. Tu prenais des maudites descentes, prends ma parole. On appelait ça des tape-cul nous-autres, manquablement parce que dans les cahots tu rebondissais

171

quatre, cinq pieds en l'air. Quand tu rabattais dans la côte, les fesses te remontaient jusqu'à la ceinture.

On s'amusait comme ça tout l'hiver. Tout d'un coup, tu voyais les *lumberjacks* ressoudre des chantiers. Ça voulait dire que Pâques était pas loin. Un matin, ça y était. Tout le monde allait communier, pis mangeait la dinde. Après, on digérait ça jusqu'à temps que le soleil dégèle l'hiver assez pour monter à la drave. Après, c'était les vacances. Forcées la plupart du temps, tu vas me dire, parce qu'à part les habitants, quasiment tout le monde tombait en chômage. Cherche tant que tu veux, de l'ouvrage y en avait pas. Ça donnait du temps en masse pour s'amuser, même si t'avais pas toujours le cœur à ça.

Au Lac, les jeunesses jouaient au baseball. Y avaient un gros club, y battaient tous les clubs des alentours. Y jouaient même contre le Nouveau-Brunswick: Campbellton, Bathurst, Restigouche. Restigouche, eux autres, c'étaient des sauvages, mais ça fait rien, y avaient un bon club. Ça me fait rappeler une histoire: Les sauvages parlaient sauvage ben entendu, pis anglais. Mais pour leur parler, fallait leur donner trente-sous. Y parlaient pas souvent, tu peux penser... C'est pas tout le monde qui avait un trente sous à garrocher de même. Pis à part de ça, y avait pas plus qu'une dizaine de gars dans la place qui parlaient anglais. Un bon dimanche, Ludger en accroche un. (Y se débrouillait pas mal en anglais, Ludger). Y commence à placoter avec, mais le sauvage répond pas un mot. Au bout d'une secousse, Ludger commence à s'étriver.

— T'as oublié ton trente sous, que j'y dis.

— Ça parle au baptême asteure, dit Ludger, si tu penses que j'vas payer pour parler anglais dans la province de Québec, toi, t'es troublé! Pis là mes amis, y tombe sur la couette du sauvage, y te l'engueule en anglais, trois, quatre sacres en français à travers de ça, mais l'autre bronche pas pantoute. Y aurait parlé à un pot, ça aurait été pareil et même. Je dis à Ludger:

— Arrête ça, Ludger, tu perds ton temps; d'après moi, va falloir que tu le paies pour qu'y comprenne itou!

Quand le club allait trop loin pour qu'on suive, on allait aux courses. Ça coursait à Causapscal ou bedon à Amqui quand y avait du baseball à Rimouski ou ben à Cabano. Ludger, justement, avait une couple de chevaux de course lui. Grand-Louis en avait lui aussi, pis le père J.M., le docteur Drouin, le père Dion de Matane, Thibeault de Mont-Joli, Moreault de Rimouski, le docteur Canuel; y étaient une vingtaine, pas moins, dans le Bas qui avaient des trotteurs. Y faisaient trois *heats* par classe. Ça faisait neuf courses par dimanche, mais ça prenait toute l'après-midi, craignez pas. Parce que ça finissait pas de partir: cinq, six, des fois, sept, huit faux *starts* par course. Tu comprends, y avait pas de barrière comme asteure.

173

Y partait ça à la cloche. Me semble entendre le starteur :

— Ça partira pas de même! Non! Ça partira pas de même! Monte en haut le cheval de la *pole!* Monte en haut! Non! Non!

Pis là, y te sonnait la cloche à s'arracher le bras dans l'épaule, pis y se remettait à engueuler les jockeys :

— Si vous vous placez pas, le prochain coup, je vous lâche comme ça. M'a vous dompter moi! Non, tu comprends, les gars étaient ratoureux. Ludger, par exemple, son cheval était commode comme un piton de livraison; ça fait qu'y faisait exprès pour faire des faux *starts.* Ça écœurait les autres chevaux, pis là, y les enfilait.

Le dimanche, les chevaux du Nouveau-Brunswick venaient courir au Québec parce que chez eux : pas de course le dimanche. Pas rien que pas de course, pas de baseball, pas d'hôtels, pas de boisson, pas de danse, rien pantoute. C'est ben juste si t'avais le droit d'être malade. Non, mes amis, le dimanche avec les protestants, c'est *dull* à tirer les larmes. J'me demande ce qu'y peuvent ben faire pour tuer le temps. Une fois je l'ai demandé à Fred Farrell. C'était le grand *walker* pour la C. I. P. Y restait à Dalhousie, au *head office.* On l'appelait Tit-Red.

— *Fred, what you do on Sundays?*

— *We make babies, Ovide!* qu'y me dit.

J'ai pensé en moi-même; nous autres aussi, la Viarge! Quand tu travailles d'une lumière à l'autre six jours par semaine, quand est-ce que tu penses qu'on a le temps de les faire? À part de ça, ça nous empêche pas d'aller à la messe, pis aux Vêpres, de faire le train, d'aller voir la parenté un peu, d'aller au baseball. Pis malgré ça, on en faisait un maudit tas de plus qu'eux autres. Y avaient pourtant tout leur temps à eux autres pour les faire, parce que moi, j'ai travaillé quasiment la moitié de ma vie pour la Bathurst, la C.I.P., mais j'ai jamais vu un Anglais se fendre le cul à travailler comme un canayen.... Je me suis dit: ou bedon y sont assez *slow* qu'y les laissent prendre au fond, ou bedon y ont les sangs trop faibles... ou bedon les deux. En tout les cas....

En parlant de courses, ça me fait rappeler une autre *shot* qui était arrivé à Ludger à Campbellton. C'est arrivé un jeudi ça, je pense. Ludger était descendu avec Grand-Louis courir à Campbellton. Son petit « Direct Braden » avait battu les Anglais à plate couture. Se faire donner des morniffes dans le Québec, y prenaient pas ça trop mal, les Anglais, mais chez eux: c'était une autre paire de manches. Ça les insultait noir. Toujours qu'y avait un grand maudit fanal d'au dessus de six pieds qui avait gagé sur le cheval du docteur Mc Pherson, mais y avait perdu son argent. Y était chaudet à part de ça, ça fait qu'y était pas de bonne humeur pantoute. Y arrive aux *box stalls*. Y cherchait le *goddam little pea soup*. Y vient à bout de savoir où que Ludger était. Y rentre dans le *box stall*, pis commence à te l'abîmer de bêtises. Ludger était écrapouti à quatre pattes devant son cheval, en train d'y mettre ses bandages. Pas un

175

mot sur la *game,* mais y le watche du coin de l'œil, crois-moi. Plus que Ludger ferme sa gueule, plus que l'Anglais s'enrage. Un moment donné y s'approche, met la main sur l'épaule à Ludger pour le retrousser. Ça été fait comme la pensée. Ludger te l'a connecté en dessous de la margoulette. Y avait un coffre à attelages juste en arrière de l'Anglais : y s'enfarge les jarrets là-dedans, tombe en arrière, à moitié assis, à moitié couché sur le coffre, la tête accotée après le mur du *box stall.* J'ai jamais vu un homme manger une pareille ramasse. Ça pétait pareil comme une mitrailleuse : temps en temps dans la face, temps en temps dans le mur. Quand Ludger l'a lâché, y s'est ébaroui à terre, sans connaissance. Y avait la face comme une forçu- re, y saignait comme un cochon.

Grand Louis qu'y arrivait là, lève le pied pour y descendre dans la face. Jos Brideau (y soignait les chevaux à Ludger, lui) a juste eu le temps de le poigner. Ma grand foi du bon Dieu, y l'aurait tué : y chaussait pas moins que douze ! Un cadavre d'homme d'à peu près six pieds deux, deux cent-quinze, vingt, maigre en charo- gne. C'était de l'homme, Louis. *You goddam bet!* Y tasse Jos, te ramasse l'Anglais, une poi- gnée dans le fond de culotte, une poignée par le chignon du cou, pis te garroche ça dehors la tête la première dans la gravelle. Ça va revoler une quinzaine de pieds de la porte. Louis ôte son petit *coat,* retrousse ses manches de chemi- se, pis là monsieur, y te stompe toute la ville de Campbellton :

— Si y a un calvaire d'Anglais dans Campbellton ou bedon ailleurs qui est pas content des
Canayens, y a rien qu'à venir me le dire icitte,
dans la face, à moi, Louis Lévesque! C'était noir
de monde, mais y ont toutes chié sur le bacul, y
en a pas un qui a osé faire face à Louis. T'as vu
ça revirer de bord, un en arrière de l'autre, la
queue basse pareil comme un chien qui a mangé
une ramée de coups de pied dans le cul. Quand
Louis a vu ça, y a remis son *coat,* pis y est rentré
dans le *box stall.* Ludger se poignait la main, y
grimaçait à force que ça faisait mal. Trois join-
tures de démanchées. Y a chauffé son char rien
que d'une main un grand mois de temps. Louis
regarde ça:
— T'as pas une belle main, Ludger; pas une
belle main pantoute!
Je pense ben: y avait le poing comme un gant
de boxe.
— Ça fait rien, Louis. Quand ben même j'aurais la main cassée en marde, ça fait rien. Je leur
devais ça depuis la Déportation, la gang d'enfants de chienne! Ludger, c'était un Acayen
pure laine ça. Venu au monde aux Îles-de-la-
Madeleine. Y laissait pas un Anglais y piler sur
les pieds ben longtemps, tu peux me croire. Le
soir, y t'a viré une baloune de trois jours avec
Louis pour fêter ça.

On allait pas rien qu'aux courses. Des fois,
on avait des séances à la salle paroissiale. Quasiment tous les étés, Tit Zoune pis Manda faisaient leur tournée. Y étaient comiques à mort.
Y actaient des histoires drôles, mais fallait qu'y

se watchent, parce que la salle paroissiale était dans le soubassement de l'église. Y était pas question de trop t'épivarder ou ben de conter des histoires de cul là-dedans. Une fois y ont été un peu trop loin. Le curé Bouillon s'est levé pis a sorti par la grande allée. Les ricanages ont arrêté net. Tit Zoune a jamais remis les pieds dans le soubassement. Quand t'étais sur la *black list* du curé Bouillon, c'était pas demain la veille que t'en sortais.

Mais y avait d'autres troupes. Une fois, y étaient venus pour la Passion. Tout le village y était. Dans l'après-midi, les enfants d'école étaient venus avec les sœurs ; ceux-là des rangs avec les maîtresses. La passion, t'avais pas le droit de manquer ça. Faut dire que c'était assez ben patenté. Oua. Y fouettaient le Christ sur la scène. Les enfants en criaient. Y faisaient le chemin de la croix. Y repassaient à la même place à toutes les stations, y faisaient tomber Notre-Seigneur quasiment tout le temps au même *spot,* mais ça fait rien, c'était bon pareil. Y venaient même à bout de le crucifier. Là, ça braillait dans la salle. Faut dire qu'y était manière de ressemblant itou : maganné pas mal, la couronne d'épines de travers sur la tête, la falle à l'air, toute barbouillée de mercurochrome. T'aurais juré qu'y saignait pour de vrai. Oua. C'était ben acté. Ça poignait.

Une couple de fois, Victor Delamarre est venu forcer. Y se promenait dans les allées avec ses roulettes de *dumbbells*, jonglait avec ça comme un autre avec des boules de *rubber,*

178

mettait ça dans les mains des gros gars qui avaient l'air capables, (y manquaient d'échapper ça à terre à tout coup), y repoignait ça, garrochait ça cinq, six pieds en l'air, te ramassait ça avec le bout des doigts comme si ç'avait été des *tooth picks.* Dehors, c'était encore meilleur. Y se strappait une manière d'attelage autour du corps, pis y montait dans un poteau de téléphone avec un cheval au cul. Baptême! Tu vas me dire: y prenait pas un cheval de seize cents, mais un petit cheval de douze, treize cents c'est pas un poney, la Viarge! Y était pas gros, mais crois-moi qu'y était foulé dur. J'ai jamais vu un petit homme aussi ben taponné. Je l'ai vu moi, de mes deux yeux, prendre les vingt hommes les plus pesants qu'y avait dans la salle, les embarquer sur une plate-forme qui devait peser cinq, six cents livres à elle tout seule, pis lever tout ça sur son dos. Oui, monsieur! Y parlait tout le temps. D'après moi, y parlait plus qu'y forçait, en tout les cas, autant. Pis y aimait pas les Anglais. Y trouvait qu'y l'avait fourré, surtout les États. Pis catholique à part de ça: le signe de croix avant chaque gros tour de force. Y le disait que sa force, c'était un don du bon Dieu. Y avait un de ses gars, son plus jeune, je pense, qui était terriblement capable. Y étudiait pour faire un curé. Victor se promenait sur l'estrade, se sacrait des claques sur le poitrail pour assommer un bœuf, pis hurlait:
— C'est mon meilleur, celui là qui me releverait, mais je le donne au bon Dieu: Y EN FAUT, DES PRÊTRES FORTS!

179

Manquablement qu'y trouvait pas nos curés encore assez capables.

À part de ça, de temps en temps, on avait des soirées locales. Les jeunesses de la place, quelques vieux avec eux autres, montaient des séances. Ça chantait sur la scène, ça turluttait, ça giguait, le grand Willie Landry dansait à la claquette: un grand *jack* de six pieds quatre pouces. Y piétonnait ben, y accordait correct. Y avait des comiques aussi: le bedeau St-Laurent, Titmon Poirier. Mais le meilleur à mon goût, c'est quand Jeanne-Berthe Ouellet chantait. Une belle grosse créature: a l'avait du poumon en masse. A chantait: « Prenez mes roses », debout sur la scène, en grande robe blanche; « Prenez mes roses, prenez mes fleurs elles sont écloses comme mon cœur. Messieurs, Mesdames, fleurissez-vous, achetez mes fleurs pour quelques sous. »
Pendant ce temps-là, trois, quatre petites filles en robes blanches, en robes longues *mind you,* passaient dans les allées, avec des paniers de roses (en papier, beau dommage!) pis vendaient ça à gauche, pis à droite. Ce numéro-là, moi, c'était mon *speed*. C'était ben applaudi chaque année.

Y avaient monté un autre sketch qui avait poigné pas mal. C'était quatre petits couples de petits jeunes, dix, douze ans. Y les avaient habillés dans le bon vieux temps: en jupes longues, en robes à bosselles, avec la capine sur la tête, les petites bottines à boutons dans les pieds; les petits gars eux autres, en *tuxedos* avec

180

des chapeaux durs, pis des guêtres dans les pieds. Y dansaient les confitures, les *sets* callés, la polka piquée, le *brandy,* les ailes de pigeon: une vraie petite soirée canadienne. C'était ben bon: y faisaient la chaîne comme des grands, y swingaient *extra number one.*

Un autre sketch que tout le monde aimait ben, c'était celui-là à Wilfrid Jomphe. Wilfrid ça, c'était un gars instruit dans le bout des doigts. Y avait fait des études, y avait étudié pour faire un prêtre. Mais la maudite Crise: y avait manqué d'argent, y avait pas pu finir. Après ça, y avait été commis dans le bois, comme ben d'autres.... À part de ça, y avait une belle voix de basse. Y s'installait sur la scène, assis dans une grande chaise berceuse à rotin, avec une grande barbe blanche collée dans la face. Pour finir, y s'habillait en guenilles, tu sais, pour qu'y ressemble à un quêteux. Pis là, y laissait jouer une douzaine de petits jeunes sur la scène avec lui. Y en prenait deux, trois sur ses genoux, une couple sur les bras de la chaise, pis y se berçait en chantant: « Dernier amour de ma vieillesse, venez à moi, petits enfants. Je veux de vous une caresse, pour oublier, pour oublier mes cheveux blancs ». C'est ben simple, la Viarge! Ça tirait les larmes. Et pis y avait un maudit paquet de bonnes femmes qui morvaient dans les mouchoirs, crains pas la glace. En tout les cas, moi, j'ai pas encore vu mieux à la télévision. C'était pas toute champion, par exemple. Y avait une couple de numéros qui étaient pas vargeux. Le pire, c'était la romance du muguet.

Tu comprends, dans ces grandes séances-là, les bonnes sœurs voulaient payer leur écot T'aurais pas été capable de les tenir au large avec un fusil: ça fait qu'y envoyaient la chorale des filles toute costumées, chanter la romance du muguet.
— Elle finit comme elle commence la romance, la romance: elle finit comme elle commence la romance du muguet
Seulement, la Viarge!, a finissait jamais.
À devait avoir pas moins que vingt-cinq, trente couplets, la romance. Pis à tous les coups, la même maudite rengaine revenait *steady pull:* la romance, la romance... Ça venait *dull* à endormir le soleil en plein midi. Moi, quand j'en pouvais pus, je me faufilais dehors pour hâler une touche avec les gars. J'ai jamais été capable de la toffer jusqu'au boute. Mais que le diable m'emporte, *dull,* pas *dull,* a revenait à tous les ans comme le jour de l'an, la romance. Collante comme Duplessis, la Viarge!
Faudrait pas que j'oublie le cirque. Ah ça, par exemple, ça déplaçait du monde. Ça venait de partout alentour. C'était paqueté tous les soirs. Y arrivaient un bon matin, s'installaient sur le terrain du conseil, pitchaient les tentes, montaient la grand-roue, installaient la Mariego-ronde, la bébelle pour faire sonner la cloche, les kiosques, les cabanes à frites, la tireuse de cartes, les nains, les animaux: toute la *whole shebang.*
Y s'installaient comme une manière de petit village: des rues à travers de ça, les tentes de

chaque bord. Un petit peu en-deçà des tentes, en plein milieu du terrain de baseball: la grand-roue, la Marie-go-ronde, les petites aéroplanes. De l'autre bord du terrain: les stands de tir à la .22, la montagne-russe, le tunnel des horreurs. C'était tout un *show* là-dedans: les esquelettes accrochés dans les coins qui se claquaient les os ensemble: des rires de maniaques qui sortaient des haut-parleurs avec des cris d'épouvante; des fantômes beurrés de sang ou ben de *catsup,* je pourrais pas dire, des souris-chaudes quasiment grosses comme des veaux; c'est ben simple, les créatures te poignaient à brasse-corps, pis voulaient pus te lâcher. Au large: deux tentes pas mal plus grandes. Dans la plus grande des deux, c'était les acrobates: un couple qui marchait sur un fil de fer à une quinzaine de pieds de terre: d'avant, pis de reculons, s'il vous plaît. En plein centre de la tente, deux gars avec une fille qui se balancinaient au bout d'une balancine de corde: lâchaient toute, faisaient deux trois sauts-Morissette dans les airs, pis retombaient dans les mains d'un autre gars pendu la tête en bas au bout d'une échelle de corde, poigné là juste par les jarrets. La Viarge! Ça te coupait le respir. Mais moi, j'peux pas dire que j'aimais ça. J'aimais ça, *all right,* mais j'avais à moitié souleur qu'y se crissent en bas. Si y avait eu un net, j'dis pas, mais comme ça: à l'air de tous les temps, ça me faisait drôle... je trouvais pas ça ben intelligent, si tu veux tout savoir.

Après ce numéro-là, y nous montraient des chevaux, ben domptés un peu rare. Le gars qui les menait était habillé avec un *tuxedo* s'il vous plaît, pis des grandes bottes de cuir noir. Cet homme-là faisait ce qu'y voulait avec ses chevaux. Y les faisait saluer les créatures, faire des génuflexions, virer en rond comme des toupies, sauter, ruer, se monter, marcher au pas sur la musique, toute la *rigging*. Si ces chevaux avaient été une couple de cents livres plus pesants, y auraient été champions pour skidder des billots, tu penses pas ?

Ensuite de ça, y nous montraient des chiens savants. Les meilleurs, c'était une sorte de poilus comme des moutons, blancs pareil comme eux autres itou. Y les avaient costumés avec des petits *suits* de laine d'en par la moitié du corps, avec des petits chapeaux de castor sur la tête. C'était le *fun* à voir. Y marchaient des grands bouts sur les pattes d'arrière ou ben sur les pattes de devant, le cul en l'air, quasiment à l'équerre. Y leur faisaient monter des échelles, sauter dans des roulettes avec le feu autour, danser deux par deux sur les pattes d'arrière, ma grand foi, y les faisaient pas parler, c'est ben juste. Là, les acrobates revenaient. Après eux autres, les éléphants ressoudaient dans le milieu de la tente, une petite femme grosse comme le bras dans le milieu de ça. A leur faisait faire toutes sortes de tours. Y étaient aussi ben domptés que les chevaux.

Dans l'autre grande tente : c'était les animaux. Y en avait de tous les poils : des ours,

184

un tigre, un chameau (j'ai jamais vu une bête avoir l'air aussi bête), des loups, deux trois sortes de singes... laids comme Cézaire Deschesnes, le derrière usé comme l'épaule d'un piton en-dessour du collier. Y te regardaient pas endessour avec leurs petits maudits yeux hypocrites en mangeant des peanuts que les gars leur garrochaient. Ça puait le puisard là-dedans. Y avait un gars qui envalait du feu. Y mangeait ça comme de la crème-à-glace. Y en avait un autre, c'était encore pire: c'est des couteaux qu'y envalait, lui. Pis pas des couteaux de poche, *mind you!* Des affaires de deux pieds de long, pas moins. Lida était pas capable de regarder ça, elle. Ça y donnait mal au cœur qu'a disait. Mais crains rien, y se coupait pas. Y se renvoyait la tête par en arrière, se penchait le corps que j'avais quasiment peur qu'y décante, pis y s'envoyait ça dans le gargoton, des fois: deux couteaux du coup! Tu parles d'un étui, toi. Ça faisait frémir, ma grand foi du bon Dieu!

Dans un autre coin de la tente, y avait une cage avec une pancarte dessus: Le Roi de la Jungle. J'ai dit à Lida, faut que je vois ça de proche. Je me faufile... J'étouffe quasiment de rire. Vous auriez dû voir ça. *Some* lion, oua! Maganné toi, qu'y avait de la misère à se tenir debout sur ses quatre pattes; maigre en charogne; les os sortis dans les flancs, comme une vache à neillère qui a hiverné à la paille cannie: les yeux crottés comme un brosseux qui a dormi quinze heures sans arrêter; la langue sortie longue comme le bras; dépeigné avec ça. Tiens y

185

me rappelait les picasses à Ludger qu'on tuait à la fin de la *run,* parce qu'y étaient finies, pis qu'y auraient pas été capables de redescendre au bord. La queue mangée par les mites ; la tête à terre, la face piteuse comme une veuve qui a pas vu le *buck* depuis dix ans. J'ai dit: « La Viarge! si c'est ça, votre roi de la jungle, moi je sus l'empereur de la Gaspésie ». Y avait un vieux morceau de bœuf tout sale dans le fond de la cage. Les mouches étaient en train de le voler au lion. J'ai dit: « D'après moi, y est plus capable de le chiquer, tu devrais y passer au moulin à viande parce que ça va tout prendre pour qu'y le mâche en *steak* haché ». Le gardien a pas eu l'air à aimer ça. Y était en train de gratter la paille avec une manière de râteau. Y en sacre un coup de manche par la tête du lion pour qu'y se tasse. Y t'a lâché un miaule, mes amis, que la tente en a shaké. Tout le monde s'est reculé d'une dizaine de pas. J'ai dit en moi-même: maganné tant que tu voudras, c'est pas encore moi qui va aller te voler ton os à soupe nu-mains.

Sur une autre cage, c'était écrit: Boa Contracteur, si je me rappelle ben. Le gars qui gardait la cage expliquait au monde:

— Mesdames et Messieurs, vous allez voir devant vous, sous vos yeux, le plus grand reptile du monde. Pas trop proche, s'il vous plaît. Attention les enfants! Cet animal extrêmement dangereux peut broyer un homme en s'enroulant autour de lui: il peut avaler une chèvre entière pour son repas.

J'ai jamais eu fret aux yeux, vous savez ça. Ça fait que je me rapproche pareil, pour reluquer ça comme y faut. La Viarge! C'était peut-être ben un boa contracteur, mais un *jobber* qui a runné dans le trou plusieurs hivers de suite, O.K. C'était toute molasse c'tte affaire là, roulée dans le coin de la cage comme les *hoses* du conseil sur leurs dévidoués, sale, grisâtre, baveuse, écœurante tant que tu veux. Ça puait le quêteux fatigué à t'en faire pleurer des yeux. Mort ou ben en vie? Je sais le diable pas. Mais non, y pourrissait debout, mais y était encore en vie. À force de le piquer dans les flancs, le gardien a réussi à le faire grouiller un petit peu. Y s'est déroulé un petit bout, s'est ouvert un œil, pis y s'est regodammé dans le coin de la cage, avec l'air de vouloir dire: sacrez-moi la paix, la Viarge!

J'ai dit à Lida: Sortons d'icitte. Y a plus rien à voir, pis à part de ça, ça pue la moutonne que notre linge de corps va rester imbibé un mois. On a pris le dehors. La musique, les lumières: c'était beau. Ça m'a changé les idées, mais j'ai pas pu m'empêcher de dire à Lida pareil: Je fais des folies comme ça, mais c'est pas drôle, ma femme, de poigner des beaux animaux de même, pis de les laisser dans leur marde comme des cochons. Ces animaux-là sont pas faits pour c'tte vie là; y peuvent pas vivre vieux de même, prends-en ma parole. Je gagerais ma chemise qu'y sont malheureux comme les roches. Non, tu comprends, c'est pas nécessaire d'être matillon ou ben maréchal-ferrant; ça se voit, une bête en santé pis heureuse. Les chevaux de la grande tente, eux autres y étaient en santé: gras à plein cuir, le poil luisant comme un satin, l'œil clair dans la tête, gingueux, piaffeux, rétifs un peu. Un enfant d'école comprendrait qu'y sont corrects. Non, y a des animaux qui peuvent vivre avec le monde mais pas toutes. Pas si bêtes que ça, les animaux... Les autres, tu perds ton temps. Fais ce que tu voudras, y restent les oreilles molles, l'œil vitreux, la gueule débiffée, pis y s'ennuient à mort. C'est comme le monde. T'en as qui sont rien que ben en ville. T'en as d'autres que ça les tue, c'est selon. Ça fait qu'essaie pas de faire un Montréaliste avec un pêcheur de la Gaspésie, ou ben un *lumberjack* de la Vallée. Tu perds ton temps.

Bon, ben, avec ça nous autres, on était rendus dehors. Y t'avait un monde: tassé, comme la sardine dans la canne. Les flôs à travers de ça qui braillaient pour avoir des cennes. Les bonnes femmes leur sacraient des claques:

— T'en as eu trois fois trop. Prends-tu ton père pour Roc à fêleur?

Mais je t'en foute, le chiâlage arrêtait pas.

— Je veux une frite, je veux un *hot dog*.

— Tu viens de manger des *peanuts,* espèce de tannant. Tu veux te rendre malade?

— Je veux une pomme, bon! Je veux une pomme!....

— T'en manges jamais à la maison.

— Y sont pas pareilles, bon!

— Quossé qu'y ont de plus, veux-tu ben me le dire?

O. K. On va laisser la famille se chamailler, pis j'vas vous le dire moi ce qu'y avaient pas de pareil, ces maudites pommes-là. La première affaire de toutes : y avaient une baguette d'à peu près quinze pouces plantée dans le cul. Ça te distingue une pomme tout suite, tu penses pas, ça la fait se guinder tout suite pas mal plus que les autres, tu penses ben. Y saucaient ça dans une manière de bocal qui aurait pu tenir vingt-cinq, trente minots, plein d'une manière de mousse vinassée. Ça faisait rappeler de la *brew* de bière, à part la couleur, comme de raison. C'était collant comme de la glu, ce *stuff*-là. Les enfants se promenaient avec ça à la main. Y en mangeaient un peu, y en laissaient la moitié sur eux autres, l'autre moitié sur le linge du grand monde. Une vraie maudite écœuranterie. Quand c'était pas ça, c'était le ketchup des frites, ou ben la moutarde des *hot dogs*. Y étaient beurrés jusqu'aux oreilles. Pis comme y en avaient jamais assez, y braillaient pour en avoir encore, pis y morvaient là-dedans. Oua! Y étaient heureux à voir. Les petits habits des dimanches tout équipés. Mais t'avais rien qu'à les amener à la Marie-go-ronde, tu voyais les écluses chesser comme par miracle. Y sautaient là-dessus, se cramponnaient après la crigne des petits chevaux de bois, pis y avaient tout suite l'air des anges au paradis. Seulement, quand y fallait qu'y débarquent pour donner la place aux autres, c'était toute à recommencer.

— Sois raisonnable voyons. Ça coûte cher, ces bébelles là!

Mais va donc faire comprendre ça à un enfant. Va donc y expliquer que dans la vie y en a qui sont tout le temps sur la Marie-go-ronde, pis que les autres peuvent rien que regarder. Maudite argent! C'est pas drôle, mes amis, de priver tes enfants quand tu les aimes assez pour leur décrocher la lune... Ça fait qu'en définitive, les parents qui s'étaient saignés à blanc pour gâter leurs petits un peu, se rendaient compte qu'y étaient encore plus malheureux qu'avant. Y disent que c'est pas grave, qu'un enfant, ça oublie tout ça. C'est pas vrai, la Viarge! Quand y a rien que de coups de pied dans le cul que t'as pas été privé, tu t'en rappelles toute ta vie, pis tu veux surtout pas que tes enfants mangent la même misère que toi...

Parle, parle, jase, jase, on voit pas grand'-chose avec tout ça, nous autres. Y avait des *peddlers* partout, toujours collés après toi comme des mouches à marde.

— Essayez votre chance, monsieur. Des beaux prix à gagner. Rien que vingt-cinq cennes pour cinq boules.

Rien que vingt-cinq cennes... Je l'aurais fessé en plein front avec la main qui torche! Une chance qui était trop jeune. Y pouvait pas se rappeler que dans le plus fort de la Crise, j'avais travaillé en masse dix heures par jour pour vingt-cinq cennes moi. Pis pas toujours payé en argent sonnant à part de ça; ben souvent en pitons. Quand t'arrives chez vous le soir, fourbu comme un âne, pis qu'y a rien que du gruau, pis du pain pas de beurre sur la table, tu renvales, tu

190

regardes tes enfants, pis t'apprends à pas les garrocher dans le feu les trente sous. Si t'es pas fou raide, t'apprends pour le restant de ta vie, je t'en signe un maudit papier.

— Venez-vous essayer à la carabine. Gagnez de magnifiques prix.

— Un tour dans la grande roue, monsieur. Amenez madame...

— Incroyable, fantastique, mesdames et messieurs. Venez voir sur la scène, la femme la plus poilue de l'univers. Philomène unique au monde, mesdames et messieurs!

J'ai dit à Lida: « Veux-tu voir ça? »

A dit: « Non »!

J'ai dit: « Ça me fait pas de peine ».

Non, j'aurais pas haï voir ça, vous comprenez, mais ça me faisait à moitié pitié, cette pauvre créature-là. Faut pas être la tête à Papineau pour savoir qu'une femme qui est obligée de se shaver tous les matins pareil comme un homme, est malade. C'est déjà assez pire de même, sans être obligé de te faire reluquer en-dessous du nez en plus de ça par une gang d'innocents.

— Voulez-vous connaître votre passé et savoir ce que l'avenir vous réserve, mesdames et messieurs, venez consulter Mira, notre extraordinaire voyeuse.

Moi, j'ai pas voulu y aller. D'abord ces maudites charlataneries-là, je crois pas à ça. À part de ça, mon passé j'ai pas besoin de parsonne pour me le rappeler, pis mon avenir, je sais pas mal comment y est amanché. Je sais que je suis venu au monde pour un petit pain, pis que des grands bouts, y en a une dizaine qui mangent après. Je gagnerai pas de *derby* parce que je prends pas de tickets. J'ai pas d'oncle millionnaire aux États : parsonne va me coucher sur son testament. J'ai assez de mon *bed* à moi. Tout ce que je demande au bon Dieu, c'est de me garder mes quatre bons membres. Le reste, j'vas m'arracher avec ça.

Toujours que Lida est sortie de là à moitié su les nerfs, toi. A l'a trouvé qu'a tirait fort en baptême. A y a dit des affaires qu'à pouvait pas savoir, dans le passé. Ça fait que Lida était quasiment parée à croire le futur. J'ai dit : « Tant mieux pour toi, ma femme, mais moi j'y vas pas. Je vas plutôt aller faire sonner la cloche. J'ai assez swingé la hache dans ma vie que je devrais ben manque être capable de swinger la masse itou ». C'est pas ben difficile. Ça prend le tour, c'est toute. Pas besoin d'être capable comme un ours. Tu fesses à la bonne place, ben aplomb pis tu vois grimper la bébelle, crains pas la glace. Y avait une couple de cultivateurs qui étaient là. Y avaient assez massé de clôture eux autres, qu'y te faisaient sonner ça rien que d'une main. Le gars était obligé de leu cracher des cadeaux à tout coup. Y avait une maudite hâte qu'y se cherchent des commissions ailleurs.

Là, on est arrivé à une autre grande tente, moyennement grande en tout cas. C'était noir de gars autour de ça. À la porte de la tente, y avait une manière de petit *husting* avec quatre, cinq créatures là-dessus, un petit vieux avec eux autres, un haut-parleur à la main. Y gueulait que t'avais de la misère à t'entendre parler.

— Venez voir ce que vous n'avez jamais vu: La danse des sept voiles, mesdames et messieurs. Tout vous est révélé. Vous m'entendez bien messieurs: absolument tout. Là, les filles faisaient une couple de *steps* sur l'estrade, ouvraient leu kimono. Y étaient en petits *bathing suits* en-dessour de ça. Pas frileuses, les petites mères! Pas frileuses pantoute; pis pas farouches, à part de ça. J'ai déjà vu mieux, *mind you,* mais pour une petite place, y étaient pas pires pantoute. Y avaient des gars un peu éméchés dans la gang, y criaient:

— Ôte ça, envoye, ôte ça pour voir!

— Dans la tente monsieur, dans la tente. Entrez. Satisfaction garantie ou argent remis. Lida a dit, le bec pincé un peu: «Je suppose que tu veux aller voir, ça?»

J'ai dit: «Non, ma femme, j'ai pas d'argent à gaspiller pour ça. Un cul, c'est un cul, c'est toute pareil».

Pis on est allé plus loin. Mais faut que je vous dise que j'y avais été la veille avec Ludger pis Grand-Louis. J'ai-t'y l'air d'un maudit cocombre? Je suis pas tout à fait tombé de la dernière rosée, oua!

J'avais rencontré Louis sur le terrain. Y était avec sa femme: une grosse bassette courtaude, bouscotte. Avec la grandeur qu'y avait, Louis te faisait des enjambées de quatre, cinq pieds de long. La pauvre femme était obligée de courir pour le suivre mais a fatiquait. Ça fait que Louis était toujours vingt, vingt-cinq pieds en avant d'elle. Y me dit tout bas en passant : « A me suit, a peur que je me débauche. » Tu parles !.... Toujours qu'au bout d'une couple d'heures, je le rencontre encore une fois, ce coup-là avec Ludger. Y dit : « J'ai été la mener à la maison. A était fatiquée. Embarque avec nous autres : on va voir le *show* dans la tente du boutte. »

On rentre... c'était paqueté de gars là-dedans. Y avait une fille sur la plate-forme dans le fond de la tente. A se dérinchait les hanches, pis le bas du corps avec la musique. Une drôle de danse, tu vas me dire, une fille tout seule comme ça. Le gars avait dit vrai, quasiment vrai, y ôtaient quasiment toute. Y gardaient rien qu'une petite *strap* su la poulie. Y se travaillaient une secousse, se faisaient virer les tétons en même temps. Y en avait une, plus smatte que les autres un peu, elle, a en swingnait un à l'envers, l'autre à l'endret. Ça devait être une tricoteuse...

Quand le record était fini, y en remettaient un autre, pis une autre fille prenait la place. Ainsi de suite. C'était pas mal toujours du pareil au même.

Une fois qu'y ont eu toutes fini, le gars a remonté sur l'estrade : Y a dit :

— Les gars j'vous ai promis quelque chose que vous avez jamais vu. Ça c'est rien. Pour cinquante cennes vous allez le voir.

Les gars hurlaient : « On a déjà payé en rentrant. Montre-nous ça. On crachera pas une maudite thune de plus ! Envoye ! »

194

Le gars voulait pas, y gueulassait avec la gang: « Ça vaut dix piasses, pis j'vous demande rien que cinquante cennes ».

Louis a dit: O.K. On backera pas pour cinquante cennes. J'y vas le premier.

Là, une pincée de la gang a sacré le camp, les autres ont décollé pour l'autre coin de la tente. Y avait une manière de rideau crocheté dans le haut de la tente: c'était en arrière de ça. Mais tu rentrais là-dedans rien qu'un à la fois... comme au confessionnal. Une fois passé en arrière de la toile y avait rien. T'avais quasiment peur de t'être fait fourrer encore une fois mais non, y arrivait un gars qui te faisait passer la tête par un trou à travers une autre toile. La Viarge!

Y avait là, à quatre pattes sur une manière d'estrade, une belle grosse négresse, nue comme un ver. En te présentant la bolle dans le trou, à l'avait le cul quasiment dans ta face. Avant que t'aies le temps de reprendre ton souffle, à te regardait par dessus le dos, avec des beaux grands yeux de chien espagnol: « ALLÔ CHÉRI » qu'a disait. Pis avant que t'aies le temps de crier: mon oncle, a te plantait les deux fesses dans la face; une de chaque bord du nez. La Viarge! C'est ça qui te coupe un rhume de cerveau, mon petit garçon! T'aurais dû voir les gars se garrocher par en arrière. Pareil comme une vache qui a la tête pris dans une clôture de broche. Y en tombaient quasiment à la renverse. Pis là, y prenaient le dehors comme une balle dans un fusil. «*Next*»! criait le gars du *show*, pis y en embouvetait un autre dans le trou.

Les gars qui s'étaient fait poigner se faisaient questionner, tu penses ben. À moitié en maudit, à moitié à la gêne, y osaient pas dire aux autres ce qui y'était arrivé. C'est comme un homme marié, tu comprends: Y veut en poigner d'autres avec lui:

— Ça vaut t'y la peine? Penses-tu que je devrais y aller?

— Manque pas ça. C'est garanti que t'as jamais vu ça de ta vie.

La moitié du village s'est fait poigner de même. Y aurait ben manque poigner l'autre moitié, mais le curé a eu vent de la négresse, pis y a lâché la police après. C'est de valeur parce que ça valait la peine. Rien que pour voir ressourdre les gars du trou, ça valait cinquante cennes en masse... J'y pense encore... A t'avait toute une croupe, c'te négresse-là. J'en connais une maudite gang qui l'aurait galopée pas de selle, je t'en passe un papier.

196

8

Ça y est. Asteure j'sus au courant. Je vous l'avais dit que je filais pas, que je prenais pas de mieux. Eh ben là, je peux vous dire ce qui va pas. J'sus un homme fini! Y me reste deux mois, trois mois, peut-être ben un peu plus, peut-être ben un peu moins. J'ai LE CANCER, la Viarge!

Ah, ça pas été facile à savoir. Une chance que je m'en doutais un peu, parce qu'y m'auraient laissé mourir en essayant de me faire accroire que je bûcherais de la pitoune le printemps prochain. Mais, je suis pas plus fou qu'eux autres. C'est pas nécessaire d'avoir installé les pompes sur les maringouins; ou ben d'avoir mis les dimmeurs sur les mouches-à-feu, pour t'apercevoir que t'es rendu au bout du fuseau, que t'es condamné.

Ça fait que j'ai dit à Lida quand est venue me voir hier soir, j'ai dit:

— Lida, tu vas me dire la vérité, la Viarge! Je veux savoir ce que j'ai.

— T'as rien, Ovide.

— C'est ça, j'ai rien en toute. Ça fait deux mois que j'sus couché comme un bébé à la couche;

197

qu'y me bourrent de pilules pour assommer mon mal, que j'ai le teint comme de la terre glaise, une face de consomption, que je dépéris à vue d'œil, pis j'ai rien? Me prends-tu pour la folle à Mc Kay?

A dit: « Mais non, Ovide. T'as rien que je te dis. Dans un mois, tu vas être sorti d'icitte. »

— Ça, ma femme, c'est la première parole de vérité que tu dis. Je vas être sorti d'icitte... *you're damn right!* Mais, dans ma tombe.

— Mais non, Ovide!

— Écoute Lida, que j'ai répond, ça fait au-dessus de cinquante ans qu'on est ensemble. On s'est jamais conté d'histoires. Commençons pas ça aujourd'hui, tu veux? Faudrait pas me prendre pour un fou, Saint-Esprit de christ! Je suis mal habillé, mais j'ai pas encore de *ball-bearings* dans la tête. Dis-moi la vérité, envoye!

Là, mes amis, Lida s'est mis à brailler comme une Madeleine, à gros sanglots qu'a manquait navrer... J'ai compris que j'avais guessé juste. À travers les larmes pis la morve, Lida est venue à bout de me dire: « T'as le cancer, Ovide ».

Ça m'a poigné. Veux, veux pas, ça déculotte un homme! Mais, je me suis ressaisi, pis j'ai dit:

— Voyons ma femme, faut pas te faire de peine pour ça. Toute bonne chose doit finir. On a eu un beau règne ensemble, tu penses pas? Voyons! Mouche-toi là, pis parle-moi plutôt de la petite.

Je suis venu à bout de la consoler, comme ça, tranquillement, en y parlant des enfants pour endormir sa peine, pour y chasser les idées noires. Quand a l'a été ben correcte, j'ai dit:

— T'appelleras mon notaire, pis tu y demanderas quand est-ce qu'y peut passer me voir.

Mais un qui a mangé un chien de ma chienne, j't'en passe un papier, c'est le docteur. Y arrive icitte à matin, avec le grand sourire dans sa face d'antéchrist:

— Comment ça va à matin, monsieur Leblanc?
J'ai dit: «Toi, franchis pas le seuil de ma porte. T'es pas un docteur, la Viarge! T'es à peu près rien que bon à soigner les chevaux à Ludger Leblanc. Penses-tu que j'ai peur de mourir, la Viarge! Penses-tu que j'ai souleur d'affronter Le Créateur? Tout suite, calice! Dret icitte! Quand ça fera son affaire. Je suis prêt. Mais si t'avais été un homme, c'est toi qui me l'aurais dit, pour que je prépare mes papiers pendant que j'ai encore mon génie à moi. T'aurais pas laissé ma femme, ma pauvre petite femme m'apprendre ça tout seule. Y a pas de: «Mais monsieur Leblanc», la Viarge! «Je paye ma chambre icitte, ça fait que je suis chez nous, pis c'est moi qui est boss. Ma carcasse est à moi, pas encore à toi... J'ai dit ce que j'avais à te dire. Asteure disparaîs de devant ma face. Pousse-toi au large que je te revois plus, tant que j'vas avoir un œil ouvert. Après si ça te chante, viens faire un tour. Mais assure-toi que j'sus ben mort, parce que tu vas manger un autre maudit pinage. Ah oui! Oublie pas de m'envoyer ta facture que je te paye pendant que

je suis en vie. Je veux pas te devoir une *token*! J'veux mourir en paix. T'as ben compris ».

J'ai pas besoin de vous dire qu'y a pas demandé son change. Y s'est tiré d'icitte, pis c'est correct de même. V'là une bonne affaire de réglée. Asteure, faut que je fasse mes papiers. Oh! Je laisserai pas le Klond'ail, mais j'sais que Lida sera jamais obligée de quêter. Pauvre Lida! C'est pas de mourir qui me fait de la peine... Quand c'est fini, c'est fini, mais c'est de la laisser tout seule en arrière. C'est ça qui m'inquiète. Vois-tu, ça l'air cochon de dire ça comme ça, mais j'aurais quasiment aimé mieux qu'a parte avant moi. Comprends-moi ben... J'aurais pu l'aider à passer à travers de ça, pis moi, je me serais ben arrangé tout seul après. Mais elle.... Je veux ben croire que les enfants sont là, mais c'est pas pareil. C'est pas mes enfants qu'a l'a mariés, c'est moi. Ah! je suis pas un flatteux, pis un chaud de la pince comme y en a; j'y ai jamais fait de beaux discours, pis acheté des cadeaux chez Birk's, mais je l'aime, ma Lida... V'là ça que je braille asteure... en pensant à sa peine..., ben entendu. Voyons, la Viarge! Arrête-moi ça tout suite, Ovide! C'est pas en morvant que tu vas changer quelque chose. Pis c'est pas en achâlant Lida avec les mots d'amour, que tu vas y rendre ça plus aisé. Pis y est trop tard *anyway*. Le minouchage, t'avais rien qu'à le faire quand c'était le temps, maudit innocent! Bon... c'est fini asteure. On en reparlera plus.

Mourir, voyez-vous, c'est pire quand tu vois ça de loin que quand t'es rendu. Je sais pas pourquoi, mais si quelqu'un m'aurait dit à cinquante ans que j'allais mourir, y me semble que je serais venu à moitié fou, tandis qu'aujourd'hui, je prends ça mieux. Ah! j'aurais ben manque toffé encore une dizaine d'années... À condition d'avoir tous mes membres, par exemple! Être pris au lit comme ça, retomber en enfance, te remettre à jouer dans ta pisse comme un petit dans le ber... Non! *Thank you!* Là, j'ai pas eu le temps d'embarrasser personne, pis c'est *just fine* de même. Y ont beau t'aimer, tes enfants, mais te changer de couche, te faire manger à la cuiller, comme un bébé à la tétine, y en reviennent. Pis à un moment donné, y ont une maudite hâte que tu lèves le *fly*. Pis sais-tu qu'y ont à moitié raison. Y ont leur besogne, y ont leurs petits... Avoir en plus, un grand maudit veau invalide sur les bras, y a pas une *goddam* d'amour qui passe à travers de ça ben longtemps. C'est pas toi qu'y aiment plus, c'est ta marde qu'y aiment pas.

Pis à part de ça, de la manière que ça fonctionne aujourd'hui dans le monde..., si c'était pas que je me ronge les sangs pour Lida, pis les enfants, je serais mauditement content de clairer la place. Parce que nous autres les vieux, y a quasiment plus de place pour nous autres asteure. Des petites cabanes de maison grandes comme ma gueule, des cuisines grandes comme la main là-dedans... Où veux-tu qu'on aille quand on est plus capable de tenir maison?

T'arrives chez le gendre, c'est beau, mais au bout d'une semaine, y voudrait ben te voir chez le diable, pis un peu plus loin. Tu vires leur *roll* de vie à l'envers. Tu fatigues les enfants, pis eux autres te font mourir. Quant t'as passé ta vie à te lever à cinq heures du matin, pis que t'es obligé d'attendre huit heures la semaine, même dix heures le samedi pis le dimanche, que ça commence à grouiller dans la maison, as-tu une idée comment que tu trouves le temps long, allongé dans ton *bed,* à reluquer un plafond qui est pas à toi? T'es toujours pas pour aller veiller dans le salon à c'te heure-là... Pis y a pas d'autre place! Tu te lèves sur le bout des pieds, tu voudrais pas faire plus de tapage qu'un chevreux dans la neige molle, tu t'habilles en cachette, tu poignes la poignée de la porte:

— Grand-papa? Où que vous allez comme ça? Comme si a l'avait peur que tu t'écartes dans ta rue, ou ben que tu te fasses violer, la Viarge!

— Dérange-toi pas, ma petite fille. Dors! Occupe-toi pas de moi. Je vas faire un petit tour dehors. Tout est correct.

Non, la meilleure place pour nous autres, c'est encore l'hospice. Toute une gang de vieux domptés de la même manière: on s'arrange toujours mieux. Mais, c'est pas la place pour rajeunir. Entendre radoter des vieux fous du matin au soir, c'est pas ça qui te donne le goût de ginguer dans le clos comme des veaux du printemps. C'est pour ça aussi que j'aime autant partir tout suite. J'ai toujours aimé la jeunesse, le *fun*, la gigue. Avec des vieux de soixante et dix, c'est ben simple, je me sens quatre-vingt-dix, tandis qu'avec des jeunesses, tiens, je redescends à soixante, soixante et cinq. Y regardent en avant eux autres, tandis que les vieux, on dirait qu'y ont les yeux en arrière de la tête... « Dans mon temps, c'était ci, dans mon temps, on faisait ça..., dans mon temps.... » Dans leur temps, la Viarge, y faisaient rien. Y se barçaient la moitié du temps comme aujourd'hui en fumant leur pipée de tabac canayen. Ceux-là qu'y ont fait quelque chose de leur vie, y en parle pas... Y parle de ce qui leur reste à faire. C'est avec du monde de même que j'aurais aimé mourir jeune pis en santé à quatre-vingt-dix ans.

Dans leur temps... Y avaient des guidounes qui putassaient comme asteure, dans leur temps, pis des voleurs, pis des hypocrites itou ; mais des belles jeunesses pleines de vie, pis de santé aussi, que tu t'accotais dessus, en regardant en avant de toi, mais plus loin que ton cléon, plus loin, au large en masse.

Non, mourir, ça me fait pas trop de peine. C'est ce que je laisse en arrière qui me chicote... Je verrai plus le barachois à mer perdante... Les pêcheurs relever leurs filets dans la Baie... Je verrai plus le mont Saint-Joseph quand le soleil fesse dessus, pis qu'y shine comme un char ben symonisé... Je verrai plus la gerboise sauter dans la *trail* comme une grosse sauterelle à poils... Tiens, je verrai plus la Sophie à André. Sophie ça, c'est une mère originale domptée comme un cheval. André l'attelle sur son sulky, pis se promène dans les rues de Carleton avec. Je verrai plus ça... J'irai plus chercher mon houmard chez le capitaine Allard. Le capitaine Allard... Y paraissait pas pour la dépense qu'y était. Pas trop gros, ben pris correct, mais t'aurais jamais pensé qu'y était capable de même. Y t'avait manière d'enclume à côté de la porte de sa *shop,* un anneau soudé dans le bout de ça: ça pesait au dessus de deux cent-cinquante livres, c'te affaire-là. Y se passait le gros doigt là dedans; pis y partait avec ça à la main. Manière de *fine* petite bague au doigt, tu penses pas? Y me disait qu'y a rien qu'un autre homme qu'y a connu pour lever ça: un Américain, un tourisse qui était arrêté acheter du houmard. Oui, le capitaine.... Je verrai plus sa *shop* non plus....

Mais, je pense que ce que je vas m'ennuyer le plus, ça va être le bois. Les belles talles d'épinette de trois, quatre seize, plantées ben dret... Les rivières à pleines écarts qui charrient la pitoune dans les bouillons blancs... Les belles cours à bois avec des rues ben enlignées, pis des centaines de piles ben au niveau... Le criard du moulin pour appeler les gars à l'ouvrage... je l'entendrai plus non plus... Les ravages d'orignals dans la coulée à Poléon, je marcherai plus là-dedans à la raquette.... Mes raquettes..., je me demande qui c'est qui va les user. Toujours pas Lida en tout cas. Je sais pas si Ludger en fait encore de la raquette. Lui, y en fait des pistes en raquette. C'était de la babiche, ce bonhomme-là. *Tough* comme du nez de cochon. Équarri à la hâche, varloppé *rough* un peu, mais un cœur d'or. Y t'engueulait le matin, te donnait sa chemise le midi. Tout un homme! Y était parlé de loin…, de pas mal loin…. Je le reverrai plus lui non plus, pas plus que Grand-Louis, pis Elphège Valois: le meilleur conteur de peurs que j'ai jamais connu. Je me rappelle encore son histoire du lac Saint-Jean.

Je vas vous la raccourcir un peu, parce qu'à durait quasiment un heure. Valois monte à Chibougamau avec sa vieille, (c'est l'histoire qui dit ça) pis rendu au lac St-Jean, y voit un gars qui chaloupe à l'eau, cale, pis disparaît. Y a un autre gars qui plonge, pis vient à bout de le ramener au bord. Là, y se met à cheval dessus, pis pratique la respiration. Pompe, pis pompe, pis pompe encore: le gars renvoye de l'eau, mais grouille pas pantoute. Ça dure quinze, vingt minutes: toujours pareil. Valois arrive (c'est toujours l'histoire qui dit ça) met la main sur l'épaule du gars, pis dit:

— Mon ami, c'est pas de mon affaire, mais vous aurez pas de réussi de même.

— Écoutez monsieur, je connais mon affaire. Je suis *life-guard,* pis j'ai fait mes cours d'ambulance Saint-Jean.

— C'est ben beau tout ça, pis je te félicite mon petit garçon, mais t'auras pas de réussi pareil.

— Voulez-vous ben me dire pourquoi d'abord?

— Oui, je vas te le dire: Ton gars a le cul dans l'eau, pis t'es en train de pomper le lac Saint-Jean. V'là pourquoi!

Valois du diable! Y me contera plus de peur asteure.

Une autre fois, y arrive chez Ludger à l'heure du dîner. Sa femme y demande:

— Qu'est-ce que tu mangerais, Ludger?

— De quoi de léger, j'ai pas faim.

— Comme quoi?

— Je le sais pas, ma femme!

— Faites-y donc roûtir de la plume, madame!

Ça, c'était Valois. J'ai ben eu du *fun* avec quand y montait à la chasse l'automne. Lui aussi y aimait ben le bois.

Non... Je verrai plus les ours se bourrer la face dans la moutonne, ni les chevreux m'éternuer dans la face avant de lever le *fly* pis de sauter *fair* par-dessus les *tops* d'épinette en grimpant la montagne. Je verrai plus les orignals rentrer dans le lac Patterson, pis se sacrer la tête en dessour de l'eau pour arracher les carottes dans le fond du lac. Les brûlots pourront plus me manger. Ça me fait rappeler une nuitte que je regardais dans le châssis avec ma *flashlight*. Rex jappait pis je pensais qu'y avait levé un ours. J'étais tout nu dans mon *shack*. À un moment donné, je me gratte un peu, pis je continue à watcher le chien, pis gratte encore. Tout d'un coup j'y pense! Je me présente la *flash light* à la fourche. La Viarge! J'avais la poche noire de brûlots qui étaient entre les deux châssis. J'ai dansé la *reel* du pendu, tu peux me croire. Y me mangeront plus asteure, la famille maudite. Ça sera pas diable mieux par exemple, c'est les vers qui vont prendre la place...

Oua...

Je verrai plus mes petits écureux se courailler d'un sapinage à l'autre. J'ai vu ça s'accou-
pler une fois dans ma vie. Faut que je vous conte ça. Je marchais dans le bois. Je venais de plaquer un bout de chemin, pis je m'en revenais
au camp, ma hache à la main. Tout d'un coup,
j'entends un barda du diable dans le bois, pas
loin de moi: les lamentations de Jérémie à travers de ça. J'ai dit la Viarge! Pour moi y a une
marte qui a poigné un écureux. Je me rapproche
tranquillement, je fais attention de pas faire de
tapage, pis je vois ben. Y avait un petit *buck*
écureux sur le dos de la petite mère, crocheté
ben solide dessus, les quatre pattes bracées autour de la bonne femme, une mordée sur le dos
du cou, pis y te ridait la petite mère au grand
maudit coton. Grimpe dans la *top* des épinettes,
toi, pis repoigne le bord d'en bas, pis remonte,
pis redescend, pis envoye donc. Le diable te
charriait ça d'un bord à l'autre, mais c'était la
petite mère qui faisait tout le boucan. Lui, y
avait la gueule pleine de poils: y pouvait pas
jaser ben fort, mais elle, par exemple, a y sacrait
par la tête *steady pull*. Je peux pas vous dire ce
qu'à y disait, mais d'après moi a y chantait une
maudite poignée de bêtises: la gueule y arrêtait
pas, pis à l'avait pas de l'air de bonne humeur
à part de ça. Temps en temps, a s'arrêtait
pour s'essouffler un petit peu. Y attendait une
petite secousse, la queue à l'équerre, pis là monsieur y y sacrait un coup de rinquié que la petite mère en pliait en deux, pis v'là ça reparti:
monte dans la tête de l'épinette, saute dans la

tête du sapin, envoye en bas, remonte en haut, saute icitte, saute là, des bouts la tête en bas par en dessour des branches : J'ai dit y va dégraffer le petit maudit, y a pas moyen ; mais non, y tenait bon, y lâchait pas. Bon ! Essoufflons-nous un petit peu, en même temps que la petite mère. Pauvre petite chatte, a soufflait que les flancs y collaient quasiment ensemble, mais a trouvait le tour de bavasser pareil. C'est ben les femmes, ça... Lui, pas un son, mais y attendait pas longtemps, dix, quinze secondes pis là y sacrait un coup de queue, pareil comme un cheval de course qui se fouette avec sa queue, pis un autre coup de rinquié, pis la petite mère redécollait. C'est comme si y l'avait piquée au cœur. J'ai dit la Viarge ! y va la faire mourir si ça continue. Un moment donné, v'là que ça dégringole cul par dessus tête. J'ai pensé en moi-même ce coup icitte tu vas avoir une surprise de cochon quand tu vas fesser terre, mon petit tordieu ! Mais non ! la petite mère t'a ramassé une branche au *fly* avec la patte de devant, pis a t'a stoppé ça là, à peu près à dix pieds de terre. Lui, penses-tu que ça le dérange ? Pantoute ! Y est toujours dessus, pis dedans à part de ça. Pauvre petite chatte, a me faisait quasiment pitié de charrier c't'écœurant-là sur son dos. Encore, si a l'avait eu l'air d'aimer ça, mais non a continuait à le tutoyer. Ça a duré une grande demi-heure de temps. Un moment donné : psit... y est plus là. Enfin j'ai dit, y a fini d'y faire le vice. La petite mère a arrêté de chiâler net. A l'était manqué raide. A s'est en allée sur une grosse branche, pis là, les yeux fixes dans la tête, a l'a pompé la vieille huile, tu peux penser. Lui, y part ben tranquillement; saute dans l'arbre voisin, grimpe un peu plus haut qu'elle, s'en va sur le bout de la branche, s'assit sur son cul, la queue retroussée par dessus la tête comme un Panama pour se cacher du soleil, les deux pattes de devant, devant la face, comme si y avait voulu cacher son *fun* tu sais.... Drrrrrrr, qu'y dit. Ben, j'ai dit, ça parle au baptême asteure, y rit d'elle par dessus le marché, l'enfant de chienne! T'aurais dû y voir la bête: y faisait son petit homme que le diable m'emporte. J'ai pensé en moi-même: ça c'est ben nous autres: rire des femelles quand on s'en est servi. Oui... j'ai vu ça une fois dans ma vie, la première pis la dernière manquablement.

Le frazil dans le bois franc, les cheminées qui garrochent la boucane dret comme une flèche quand y fait quarante en bas de zéro; les *jets* qui font une barre de brume dans le temps quand le ciel est clair: les saumons qui sautent *fair* en dehors de l'eau pour grimper les *falls:* toutes des affaires que je revoirai plus. Les sauvages avec la bosse du canoë sur le cou... Quand je parle des sauvages, je peux pas m'empêcher de penser à Frank Champoux. Frank, lui, y les faisait travailler comme des nègres, mais les sauvages avaient la gueule fendue jusqu'aux oreilles du matin au soir. Un histoire attendait pas l'autre, pis pas en anglais s'il vous plaît, en sauvage! Oui, monsieur! Frank parlait sauvage comme père et mère. C'est peut-être pour ça

209

que les sauvages l'aimaient ben.... Pis les sauva-
gesses itou...., y paraît...

À Restigouche, quand t'arrives à côté de
l'église, juste au bout de la rue, à droite, y a
une statue de la madone dans une petite niche.
Un bon matin, y a une sauvagesse qui arrive là
pis a dit à l'autre sauvagesse qui était à genoux
dans la gravelle :
— Veux-tu ben me dire ce que tu fais là ?
— Je fais une neuvaine à la Madone.
— Pourquoi ?
— Parce que je veux avoir un petit.
— À ton âge ? Es-tu chaloupée ?
— Non, je suis pas folle, pis la Madone va
m'exaucer.
— Tu serais aussi ben d'appeler Frank Cham-
poux ! que l'autre dit.

Oui, mes amis, j'ai connu *some* numéros
dans ma vie. Frank, c'était un de ceux-là. Jim
Lévesque, c'en était un autre. Chaque fois que je
pense à Jim, je peux pas faire autrement que me
rappeler le coup de la moutonne. On était à
l'office un soir, je pense que c'était sur la Truite,
on placotait quatre, cinq gars, avec le commis.
Jim dit : « Excusez-moi les gars, j'vas revenir,
faut que j'aille faire une *job* ». Pis, y prend le
dehors. Nous autres, on continue à jaser. Deux
minutes après mes amis, Jim ressoud dans l'office blanc comme la chaux, les yeux sortis de la
tête, plus capable de parler. J'y demande :
— Qu'est-ce que t'as, pour l'amour du bon
Dieu ?
Y vient à bout de reprendre son souffle, y dit :

— Faut que je vous conte ça.... Je descends à la moutonne..., pour faire ma job.... Je baisse mes culottes..., je m'écrase... Tout d'un coup les gars: RROUF!!! Un ours, saint-chrême! Un ours, Ovide! J'ai manqué chier sur un ours! Pis un gros calvaire à part de ça!

Je le regarde un peu, pis j'y dis:

— Si toi t'as manqué, lui, y a pas manqué: regarde tes culottes la Viarge!... Y était tout beurré au *goddam* toi là. Y puait le fond de puisard, que t'en venais les larmes aux yeux comme ta femme quand a fait ses *ketchups*. Y avait eu assez peur en voyant l'ours, qu'y avait jamais pris le temps de couper la crotte, tu peux ben croire. Une poignée dans les guenilles pour retrousser les culottes à son cul, une autre poignée dans les saint-michels, pis icitte je grafigne après la *bank* pour me déhaller de là au plus sacrant. Pauvre Jim. Y était toute graissé comme un bébé que sa mère a oublié de changer. Y se regarde... Y reblêmit encore une fois, mais ce coup-là, de rage: «Ça parle au calice! qu'y dit». Pis y repart tout croche, à moitié écartillé, à moitié penché en avant pour aller se changer. Je te garantis qu'après ça, y fallignait pour la bécosse, quand son dîner appelait par en bas.

Cherche... Peut-être que je vas revoir tout ce monde là, l'autre bord... En attendant, faut que je passe mes papiers. La maison, le char, le jeep, l'argent, les guenilles, faut que je donne ça. Je veux pas que la chicane poigne après que j'vas être parti. Ah pis, y aura pas de quoi faire une guerre, vous allez voir. Mais j'ai toujours aimé les affaires claires pis nettes. Ça fait que je vas régler c'te affaire-là une fois pour toutes, pour pas qu'y ait de mélange.

Mais, y a une autre sorte d'héritage que je voudrais laisser à mes enfants, ben plus pesant je pense que la piasse: mon exemple. Comprends-moi ben là. J'veux pas me vanter, parce que si y a quelque chose qui me tombe sur la poche, c'est un vanteux. Mais, je pense que mes enfants savent que j'ai aimé, pis respecté Lida. Je voudrais qu'y fassent pareil avec leur femme. J'ai toujours été dret: aussi vrai qu'y a un bon Dieu qui m'éclaire. Pis j'ai toujours dit à mes enfants de faire pareil. J'ai jamais été un mange-canayens, pis je souhaite que quand y auront rien que du mal à dire de leurs semblables, y fermeront leur maudite gueule! J'ai jamais été la grenouille à nager dans les bénitiers, mais j'ai toujours cru au bon Dieu qui est dans le ciel, pis j'aimerais que mes enfants s'en rappellent, même si c'est pas mal plus dur que dans mon temps.

À part de ça, je veux pas que personne braille sur moi, parce que moi, j'ai jamais été un braillard. Je veux qu'y soient heureux comme je l'ai été toute ma vie. Ça veut pas dire avoir le *fun* dans le corps du matin au soir ça. Comprends-moi ben, tu peux pâtir, tu peux pleurer, pis être heureux pareil. Pis viens pas me dire que c'est pas vrai, je connais ça. Dans le fond du bois, tu peux t'ennuyer de ta femme à en chiâler, mais être heureux de pouvoir t'ennuyer de même. Tu comprends ce que je veux dire? C'est pas l'argent qui m'a donné ça, pis c'est pas l'argent qui va leur donner non plus, prends ma parole. Ludger me disait un coup:

— Ovide, les plus belles années de ma vie, c'est quand j'ai commencé à jobber. J'étais pauvre comme du sel, mais j'avais une santé de fer. Je travaillais quinze heures par jour, j'étais toujours affamé à manger les chaudrons, pis j'avais ma femme dans le camp avec moi... Aujourd'hui, je me mets à la table rien que pour faire la geste: y a plus rien de bon...

C'est ça que je voudrais que mes enfants, mes petits enfants, mes gendres et pis mes brus comprennent.

Le bonheur, vois-tu, c'est de savoir se contenter de ce que t'as. Quand t'en as pas beaucoup, que t'as envie de chiâler, regarde autour de toi, t'auras pas besoin de reluquer ben longtemps pour en trouver des pires que toi. Quand y mouille à boire debout par exemple, que tu te berces dans le chassis, marabout, pis la gueule grosse, pense donc, la Viarge!, qu'y a une place dans les vieux pays, que ça fait trois ans qu'y a pas tombé un brin de pluie. La terre est sec comme les ongles d'orteil à Saint-Joseph, pis les enfants, pis les animaux crèvent de faim. Y nous ont montré ça à la télévision. T'es-tu bouché les yeux pour pas voir? Si tu y penses comme y faut, je te garantis ben que le ballot va te désenfler, dret là, pis que tu vas arrêter de brailler après notre maudit temps de cochon.

213

Les gros comptes en banque, ça fait pas toujours un gars heureux.... De l'argent, quand t'es trop vieux ou ben trop malade pour en profiter à quoi tu veux que ça serve? Ça te donne quoi, tu penses, d'avoir un million qui t'adore, si t'as un petit enfant infirme dans une chaise roulante? Réponds-moi donc, pour le *fun*.

Faut être plus fin que son argent à part de ça. J'ai vu des gars qui jalousaient les piasses à Brillant. J'ai dit:

— Remerciez le bon Dieu de jamais avoir un pareil motton, vous autres.

— Pourquoi ça, qu'y disaient.

— Parce qu'avec une palette de même, vous vous paqueteriez la gueule comme des cochons pis vous dégriseriez rien que de l'autre bord.

C'est ça que je leur disais.

La santé! C'est ça, la richesse. Celui qui a ça, y est riche en partant, pourvu qu'y ait assez de cœur dans le ventre, pis assez de jarnigouène dans le coco pour pas se rendre malade à faire le fou.

Le bonheur, c'est de faire un homme de toi, assez pour que le voisin, pis le deuxième voisin te respectent. Que le monde te dise «monsieur»..., si t'en es un. Ça, c'est moi qui le sais. Les autres, souvent y se font fourrer par les airs. Si t'es un monsieur d'homme, t'as pas besoin que personne te le dise, mais le gars qui te dit monsieur, pas parce qu'y te connaît pas ou que t'es plus vieux que lui, le gars qui te dit monsieur parce qu'y trouve que t'es un mon-

214

sieur, tu peux quasiment y dire: «Merci, mais vous avez raison, mon ami»...

Le bonheur, vois-tu, ça se gagne, pis ça s'apprend un petit peu, pis ça se désapprend itou. Si tu t'écœures tout seul avant de prendre ta besogne à brasse-corps, sois ben assuré que tu vas la trouver deux fois plus pesante encore qu'a l'est en réalité. C'est ça qui fait la différence entre un petit homme de cent cinquante livres qui se claire soixante-quinze, quatre-vingt piasses par jour à la *job,* pis un gros maudit lâche de deux cents, qui en fait rien que quarante. Lui, y aime jamais le *foreman,* ni le colleur, ni le *boss.* Y aime pas son ouvrage. Pis un homme qui aime pas son ouvrage peut pas être un bon travaillant, quand ben même y aurait quatre fois les capacités qu'y faut pour la faire. Mais, y est mûr pour faire un maudit bon homme pour l'Union, par exemple...

Choisis une *job* que t'aimes, que je dis à mon garçon, pis aime ta *job.* Travaille pas rien que pour le chèque, pis tu vas voir que les semaines vont raccourcir. Tu vas voir itou, que le *boss* est pas toujours un baveux, pis qu'y sait soigner les hommes qui travaillent avec lui, pas contre lui, même pas pour lui mais, avec lui. Y a une différence. Si tu la sais pas, tu peux pas être un bon *boss,* pas plus qu'un bon travaillant. Je le sais, j'ai fait les deux, employé, pis *boss,* pis employé. Pis sais-tu qu'après avoir été *boss,* j'ai été ben meilleur employé? Oui, je peux dire que je connais les deux côtés de la médaille.

Si j'ai un autre conseil à donner à mes enfants avant de m'éteindre pour tout de bon, ça va être: Défoncez pas les portes ouvertes. Non. Cassez pas votre mors de bride, pis partez pas en peur pour des niaiseries. Y a assez des affaires sérieuses pour s'énerver, sans se chatouiller avec une plume pour se faire rire.

Essayez pas non plus de runner l'affaire d'un autre. La vôtre, c'est assez, pis si y vous donnait les cordeaux, vous trouveriez peut-être ben qu'y sait mener pas mal mieux que vous autres.

À part de ça, quand vous voyez passer André dans sa Cadillac, jalousez-le pas. D'abord, est à lui. Ensuite de ça, un gars qui a pas les moyens de mettre du gaz dedans, une Cadillac, c'est pas un cadeau pour lui. À part de ça, rappelle-toi ben que si tu te promenais avec ton Ford à ben des places dans le monde, y te regarderaient avec la même maudite face envieuse que tu fais à André.

Une dernière affaire: mets-toi ben dans la tête que ça sera jamais tel comme que tu veux, pis que tu seras toujours content rien qu'à moitié. Y a jamais personne de pleinement content. Si t'en as pas tout à fait assez tu vas chiâler, si t'en as trop, tu vas chiâler pareil. Regarde ben. Y a une couple de jours, y a un des gars qui est malade icitte, y vient placoter avec moi dans l'après-midi. En partant, y oublie une gazette. Je rouvre ça, jette un œil là-dedans un peu, je tombe sur une manière de courrier. Un affaire de fou, tu vas me dire: des gars qui écrivent à une fille, pis a leur répond. Mais tu devrais voir les questions. Tiens: une, c'est un gars qui se lamente parce qu'y a rien que cinq pouces de queue. Y veut une récette pour étirer ça un peu. Dans la même page, y en a un autre qui écrit que lui c'est dix pouces qu'y a, mais y est pas plus content! Y veut une recette pour la raccourcir, parce qu'y fait peur aux créatures. J'ai pensé en moi-même: mets-la sur une bûche, la Viarge! Mets ton pied-de-roy à côté, prends ta hache, pis *top* là, la longueur que tu veux, maudit innocent! Non, mais y-a-tu du monde fou!

Fou, oui! Content non! Parce qu'un homme, c'est pas contentable, pis c'est une bonne chose à part de ça. Penses-y.... Autrement, tout le monde crèverait de faim. Le charpentier bâtirait sa maison, pas celle-là d'un autre; le pêcheur prendrait son poisson, en vendrait jamais aux autres: les habitants sèmeraient rien que pour eux autres, ainsi de suite. Faut de l'ambition dans la vie. Tu bâtis autant avec ça qu'avec du bois de charpente.

La dernière affaire de toute: apprends à ménager ton *fun*. Sois pas trop saffe. Pis..., comment je te dirais ben ça..., je trouve pas les mots qu'y faudrait... Ce que je veux dire, c'est que c'est pas toujours les grosses patentes qui font le plus plaisir. Je vas t'expliquer ça par un fait que j'ai vu. Tu me suis là? Vois-tu, c'est un soir de Noël, pis les enfants rouvrent les cadeaux. Y en a: une vraie écœuranterie. Rouvre une boîte, rouvre l'autre, ça finit plus. Un moment donné, je regarde le petit dernier dans son coin: y rouvre rien qu'une boîte lui, sort le petit *truck-auto* de sa boîte, pis se met à jouer... Vroom... vroom... Change de vitesse pour monter le dossier du divan, *brake,* repart, se met en compression pour descendre sur le bras du *chesterfield.* Mais pas avec le *truck-auto,* non, avec la boîte... Me comprends-tu, asteure? Moi, j'ai compris ça y a vingt-cinq ans à peu près. Le garçon du *boss* était parti à la chasse un matin. Y revient à la fin de l'après-midi: pas une maudite perdrix! Tu vas me dire: y ventait fort, mais quand même, j'aurais toujours cru qu'y en aurait pincé une couple. J'ai pensé en moi-même: y doit pas être de bonne humeur. Mais non, y était content. Dans la main, y avait un champignon gros comme le bras, qu'y était en train de montrer à sa femme... Tu vois ce que je veux dire?

Oui, apprends à ménager ton *fun,* pis à le mixer je dirais. Si t'as le moyen d'avoir un cheval de course, un *skidoo,* un bateau, achète pas tout ça la même année. Tu vas t'écœurer du cheval, peut-être ben. Y te restera encore le *skidoo,* pis le *boat.* Oui... Regarde à terre quand y mouille trop pour regarder le ciel, tu vas peut-être ben voir un beau champignon, ou ben la gerboise....

Vois-tu, c'est ça l'héritage que je voudrais laisser à mes enfants. Tu peux laisser l'argent, mais pas ça. Tu peux rien que leur dire que c'est là; tu peux pas le prendre à leur place. C'est pour ça que va falloir qu'y fassent comme moi pour apprendre: des bêtises. Pourvu qu'y fassent pas dix fois la même, avant de comprendre, y vont avoir des chances d'être heureux.

Pis à part de ça, j'pense qu'y ont ce qui faut pour être heureux. En tout les cas, j'leur ai dit: Gardez le cœur du bord du corps que je vous l'ai mis, pis vous allez vous arracher dans la vie.

Bon, on se reparlera plus à partir d'asteure. Vous allez comprendre comme moi qu'un homme qui se meurt, même si y a pas peur, ça y coupe le goût de la jasette un peu. Pis à part de ça, j'ai assez aimé la vie, le plaisir, pis la jeunesse, pour pas vous ennuyer avec des histoires de petit vieux qui a déjà un pied dans la tombe, pis l'autre en ballant.

Salut, pis bonne chance! Une dernière affaire, faites-vous en pas pour Ovide, la Viarge!... »

FIN

GLOSSAIRE

A

abîmer de bêtises: injurier copieusement.

Acayen: Acadien, de l'Acadie.

accroire (faire): faire croire.

accroires (des): des qu'en-dira-t'on.

achaler: importuner.

accoter quelqu'un: l'appuyer, l'aider, le financer.

adon: coïncidence.

adon (d'): avantageux, qui se prête bien.

adresser quelqu'un: interpeller.

aile de charrue: mouvement d'une vague déviée sur une grosse roche et épousant la forme du versoir d'une charrue.

all aboard: expression des services ferroviaires: tout le monde monte, en voiture. (empr. de l'ang.).

all right: d'accord, correct (empr. de l'ang.).

amanché: posé, arrangé, organisé; aussi: fortement constitué, ex.: un homme bien amanché.

amancher (s'): s'arranger, s'organiser.

amarrer: attacher un animal.

annonce: affiche, publicité.

anyway: de toute façon (empr. de l'ang.).

arracher (s'): s'arranger, s'en tirer, s'organiser.

arretage: arrêt, trêve.

asteure: maintenant.

attisée: feu, flambée.

aulnage: les aulnes.

au ras: près de, tout près.

average: en moyenne, dans l'ensemble (empr. de l'ang.).

averager: faire en moyenne (de l'ang.; *to average*).

B

babiche: cuir d'orignal servant à la confection des raquettes à neige. Courroie de cuir d'orignal.

back **(ressoudre)**: revenir.

backer: reculer, se refuser à; appuyer, aider financièrement (de l'ang.; *to back* et *to baulk*).

badluck: malchance, déveine (empr. de l'ang.).

221

badlucké: malchanceux (de l'ang., *badluck*).

badrer: embêter quelqu'un (de l'ang., *to bother*).

badrer (se): s'embarrasser, s'encombrer de.

bailler: prêter.

balancine: balançoire, escarpolette.

balanciner: balancer.

bâleur: bouilloire, chaudière (de l'ang., *boiler*).

ball bearing: roulement à billes empr. de l'ang.).

ballot: lèvres, bouche.

baloune: ballon, balle.

baloune (virer une): s'enivrer, se saoûler.

bancroute: banqueroute.

barda: bruit fatiguant; besogne, petite besogne.

bardasser: vaquer, s'occuper, passer le temps à une petite tâche.

bargane: marché (de l'ang., *bargain*).

barganer: échanger, acheter, marchander.

barre: trait.

bassin: plat ou récipient pour la toilette corporelle.

batch: nourriture (de l'ang., *batch*: fournée).

batcher (se): se nourrir, faire sa popote (de l'ang., *batch*).

batture: rive d'une rivière, à terrain plat; grève.

baucher: courir en compétition, surtout en voiture; faire une course d'automobiles, par exemple.

bavasser: parler beaucoup; aussi: médire ou calomnier.

baveux: dégoûtant; aussi: importun, être antipathique.

bazou: guimbarde.

beach: plage (empr. de l'ang.).

bébelle: joujou, jouet, niaiserie, chose sans importance.

bécosse: toilettes (de l'ang., *backhouse*).

bédaine: grosse.

bedon (ou): ou bien donc, ou.

bélier: genre de pompe pour élever l'eau.

bétail: engeance.

bête à cornes: vache, veau, bœuf.

bet (you): sûrement, évidemment (empr. de l'ang.).

betôt: bientôt, ou tout à l'heure.

bette: physionomie, air, visage.

beurré: sali.

beurrée: tartine.

beurrer (se): accepter des pots-de-vin, se compromettre.

bibitte: bestiole.

bien (le): la terre et les actifs d'un cultivateur, l'héritage.

bien manque: sans doute, évidemment.

bière à palette: de fabrication domestique; à la levure, par exemple.

big shot: personne très à l'aise, influente (empr. de l'ang.).

black list: liste noire (empr. de l'ang.).

black snake: long fouet de cuir noir dont le tressage imite les écailles d'un serpent, d'où le nom (empr. de l'ang.).

black waters: eaux noires: maladie du rein (empr. de l'ang.).

bloc: tête.

bloke: anglais (de l'ang., *bloke*: individu, type, zèbre).

blonde: petite amie.

bloomers: pantalon de femme, slip (empr. de l'ang.).

222

bluff : poker (empr. de l'ang.).
boat : bateau (empr. de l'ang.).
bobgage : halage de bois au *bob*, sorte de traîneau à deux sections.
bonne à bonne : à égalité.
boom : barrage (empr. de l'ang.).
bootlegger : contrebandier (empr. de l'ang.).
bordée : forte chute de neige.
borlot : sleigh canadienne, pour un cheval, plus basse et moins élégante que la « carriole » mais aussi affectée à la « voiture ».
boss : patron (empr. de l'ang.).
bosselle : panier.
bosselle (robe à) : à panier (de l'ang., *bustle* : tournure).
botte : pied de l'arbre, gros bout d'un billot ou d'une bille.
botter : couper, scier, habituellement au gros bout ; on dira topper pour le petit bout.
boucane : fumée.
bouette : vase, boue détrempée.
bouffie : enflée, grosse (au teint brouillé).
bouillon blanc : écume de vague.
boulder : grosse pierre, petit rocher (empr. de l'ang.).
bourdillon : bitte.
box stall : stalle pour chevaux de course (de l'ang., *box* : boîte, et *stall* : écurie, stalle).
box stove : poêle.
bracer : attacher fortement (de l'ang., *to brace*).

brancher (se) : prendre une décision.
branco : pour bronco : cheval non dompté.
brasse-corps (à) : déformation de à bras-le-corps.
brassée (de pain) : pâte à pain, cuite de pain.
breeches : pantalon bouffant à la cuisse et se terminant au mollet (empr. de l'ang.).
brew : écume (bière), sueurs (*brew* dans le toupet), (de l'ang., *brew* : brassin).
brew (péter de la) : se vanter, discuter âprement (de l'ang., *to brew* : brasser, infuser).
brosseux : ivrogne.
buck : mâle (empr. de l'ang.).
bucké : entêté, têtu (de l'ang. to *baulke*).
buggy : voiture à traction animale, d'été, à quatre roues et découverte.
bully : fier-à-bras (empr. de l'ang.).
bumper : amortisseurs (empr. de l'ang.).
bunch : petit groupe (non péjoratif) (empr. de l'ang.).
buncher le bois : mettre en tas, grouper les billes pour le hâlage (de l'ang., *to bunch*).
buncher (se) : se grouper (de l'ang., *to bunch*).

C

cabale : incitation à voter pour quelqu'un.

cabouron : monticule.
cageux : radeau.

223

cahot: bosse dans le sentier ou la route provoquant justement le cahot, ici l'effet est devenu la cause pour ainsi dire.

caler (se): s'embourber; aussi: perdre de l'argent.

caller: appeler quelqu'un, un orignal avec un cornet (de l'ang., *to call*).

caltore: pour coaltar.

can ou canne: boîte (empr. de l'ang.).

Canayen: Canadien français.

can-dug: outil formé d'un manche d'environ un mètre terminé par un pic et un crochet et destiné à rouler les billes ainsi qu'à les soulever (empr. de l'ang.).

candy: bonbon (empr. de l'ang.).

cannerie: usine de mise en boîte.

cannie: qui a chauffé, fermenté, moisi.

capable: fort.

capine: genre de bonnet, coiffe, béguin.

capot de chat: manteau de raton laveur.

carculer: calculer.

caribou: boisson forte: une partie de vin et une partie d'alcool.

carriage: charriot actionné à la vapeur et sur lequel on place la bille que sectionnera la grande scie. On prononce carège. (empr. de l'ang.).

carriole: traîneau pour «cheval de voiture», employé plus spécifiquement pour le voyage ou la promenade.

cash: comptant, passer au cash, payer (empr. de l'ang.).

cassé: sans le sou.

cassiette: casquette.

catherine: refendeuse de bois, à scie verticale.

caulks: clou, rivet (empr. de l'ang.).

cenne: cent, sou.

chaise à rotin: chaise berceuse (de l'ang., *rocking chair*).

chaloupée: folle.

chalouper: chavirer.

chamaillage: chamaillerie.

champlure: chantepleure.

chapeau de castor: chapeau melon.

chapeau-dur: haut de forme.

char: automobile. Mettre un char sur les blocs consistait à le déposer sur quatre pièces de bois et à enlever les roues pour l'hiver afin d'en ménager les pneus.

châssis: fenêtre.

chauffer: conduire.

chausser: prendre une chaussure de telle pointure.

cheap: bon marché (empr. de l'ang.).

checké: vérifié; aussi: se parer de ses plus beaux vêtements; se checker (de l'ang., *to check*).

checker: vérifier (de l'ang., *to check*).

chevreux: chevreuil(s).

chiâler: pleurer, mais aussi: critiquer, tempêter.

chiard: ragoût de viande, de lard, de patates.

chicot: branche ou cime d'arbre mort.

chicoter: critiquer, enquête.

chienne: sorte de traîneau léger fait de deux skis larges, pour hâler le bois sur la neige.

chignon: endroit du cou (nuque) où tombe normalement le chignon.

chip mill: usine à copeaux de bois (empr. de l'ang.).

chousse: souche.

chousse creuse: chaire.

chum: copain (empr. de l'ang.).

chummer: se lier d'amitié (de l'ang., *chum*).

ciarge: cierge.

clair (être): avoir fini, se débarrasser (de l'ang., *clear*: net).

clairer (se): déguerpir, se sauver, gagner, réaliser (de l'ang., *clear*: net).

clairer (s'en): s'en tirer (de l'ang., *clear*: net).

clanche: amaigri.

claque (d'une): d'un coup.

closette: toilettes (empr. de l'ang., *closet*: cabinet).

clutcher: embrayer, se mettre en branle (de l'ang., *to clutch*).

coat: veston, manteau.

cochon: convoyeur pour transporter les débris de bois.

colleur: mesureur (de l'ang., culler).

coltailler: se colleter.

comble: toiture de maison.

comité: bureau, maison où l'on organise les élections.

compas: boussole.

connecter: frapper avec précision.

cook: cuisinier (empr. de l'ang.).

cookerie: cuisine (de l'ang., *cook house*).

coppé: être en moyens, à l'aise.

coq: fier-à-bras, homme fort.

cordeaux: rênes, guides.

corned beef: bœuf salé (empr. de l'ang.).

cornet: haut-parleur.

corps: camisole.

coteillage: sentier, route en lacets.

coteiller: monter en lacets.

cottage: mis, ici, pour cortège.

coude: couse, du verbe coudre.

couenne: peau cuite du porc; tomber sur la couenne de quelqu'un: l'engueuler.

couette: couette de cheveux, mèche de cheveux. Tomber sur la couette, engueuler.

coup (un): une fois.

couple (une): quelques.

courailler: lutiner, chercher la bagatelle.

courser: courir, faire des courses de chevaux.

courtisage: la cour, les fréquentations.

couverte: couverture.

couvrir un enjeu: déposer sa mise dans un pari.

cracher: payer.

cramper: engourdir.

cramponner (se): s'accrocher, se tenir.

craqué: un peu fou.

créature: femme.

crème-à-glace: glace, crème glacée.

crémone: châle, foulard.

criard: klaxon.

crigne: crinière.

crinqué: remonté, pour une horloge; mais aussi: se fâcher ou s'emporter, s'exciter (de l'ang., *to crank*).

crinquer: remonter une montre, faire démarrer une voiture, faire fâcher une personne (de l'ang., *to crank*).

crisser le camp: déguerpir.

croc: dent.

croche: courbe.

crocheté: accroché, pris, tenu, agrippé.

croûte: neige durcie en surface.

D

damn right : absolument sûr, absolument vrai (empr. de l'ang.).

danse à la claquette : *tap danse.*

débâle : disparais!, du verbe disparaître.

débarquer : descendre.

débarquer : en politique : perdre le pouvoir.

debator : orateur (empr. de l'ang.).

débiffé : défait, mou, triste.

débité : pour dépité.

débouler : accoucher : mettre bas, pour un animal.

décanter : renverser, tomber.

décramper (se) : dégourdir (se) (de l'ang. cramp).

décoller : partir.

défourre : sors, vas-t'en (défourre d'ici).

dégelée : raclée, semonce.

dégraffer : lâcher.

démailler : retirer le poisson du filet

démanché : démis.

démancher : défaire, disjoindre.

dépester : détruire la vermine.

détaponner : démêler, défaire.

déviarger : briser, détruire, endommager.

dévidoués : dévidoirs.

dimmer : mettre en veilleuse, baisser la lumière (de l'ang., *to dim* : obscurcir).

diviner : deviner, percer à jour.

dompter : habituer.

double-decks : petit lit double, lits superposés (empr. de l'ang.).

douille : dollar.

drag : entrave, ancre, frein (empr. de l'ang.).

drag : monte-charge (empr. de l'ang.).

drave : flottage des billes de bois (de l'ang., *drive*).

dret : droit.

driller : dresser, entraîner (de l'ang., *to drill*).

drum : baril (empr. de l'ang.).

dull : plat, ennuyeux (empr. de l'ang.).

dum-bell : haltère (empr. de l'ang.).

dur : foie.

E

ébarouir (s') : se défaire, s'affaler.

ébouriffer : ébaucher (faire en gros).

écalvantrée : affalée.

écart : à pic, pentes très raides.

écarter (s') : se perdre, perdre l'orientation, s'égarer.

écartiller : écarquiller.

échafaud : plate-forme construite dans un arbre et d'où le chasseur fait le guet.

échelle : maille filée, dans un bas de femme.

échiné : accablé.

écrapouté : ramassé sur soi-même, courbé, accroupi.

écœuranterie: chose dégoûtante.
écureux: écureuil(s).
edger: scie pour couper le bois déjà refendu (empr. de l'ang.).
effets: provisions, nourriture, manger.
effouèrer (s'): s'écraser, s'applatir.
embarquer: monter.
embouveter: mettre, placer vivement.
embouveter (s'): prendre place rapidement.
emmiauler: flatter, amener à soi.
émorouittes: hémorroïdes.
émydales: amygdales.
enfarger (s'): trébucher, s'empêtrer.
enfiler: dépasser, prendre par surprise.
engin: moteur, locomotive (de l'ang., *engine*).
entêter: diriger le bois dans une scie.

envaler: avaler.
épivarder (s'): s'énerver, jeter son fou.
équerre (à l'): à angle droit.
équipé: sali.
éridelles: ridelles.
erse: du mou, pour un câble par exemple.
escandale: scandale.
espagnol: épagneul (chien).
esquelettes: squelettes.
étriver: énerver, impatienter, exaspérer.
étriver (faire): agacer, faire fâcher.
étriver (s'): s'impatienter, se fâcher.
évarisse: varice.
exaust: gaz d'échappement de véhicule automobile.

F

fair: nettement, franchement, complètement (empr. de l'ang.).
falle basse: estomac vide, creux.
falligner: suivre, se mettre en mouvement (de l'ang., *to fall in*).
fanal: une personne de haute taille.
fancy: soigné, choisi (empr. de l'ang.).
fantasque: employé dans le sens d'effronté, audacieux.
fardoche: bois mort renversé.
farlouche: tarte à la farlouche, au sucre et à la mélasse.
feeder: nourrir les animaux (de l'ang., *to feed*).
filer: se sentir (de l'angl., *to feel*).

fille engagère: bonne à tout faire, servante.
fine: belle, beau, bien (empr. de l'ang.).
flatteux: caressant.
flô: jeune, gosse (de l'ang. *fellow*).
flood: inondation (empr. de l'ang.).
flush: cinq cartes de la même carte, cinq piques ou cinq cœurs par ex. (empr. de l'ang.).
fly: braguette (empr. de l'ang.).
fly (au): à la course, tirer un animal en mouvement.
fly (lever le): se dit de la queue du chevreuil qui se redresse quand il court d'où lever le *fly*, (drapeau), partir, se sauver.

foin: argent. En foin, argenté, à l'aise.

footing: fondations (empr. de l'ang.).

forçaille: au pis aller.

foreman: contremaître (empr. de l'ang.).

forlacque: putain.

fouler: tasser.

fourche (de chemin): embranchement, bretelle; aussi: entre-jambes.

fourrer: tromper.

fraise: le visage, l'expression.

frâzi: frimas.

frâzil: verglas.

free-for-all: méli-mélo (empr. de l'ang.).

fret: froid.

frimassée: gelée, givre.

fripper: dépenser, gaspiller.

froque: veston.

fucké: raté, manqué (de l'ang., *to fuck*).

fucker: gâcher (de l'ang., *to fuck*).

G

gaboter: déformation de caboter, terme marin vite appliqué aux voitures. Ça ne gabote pas; les chemins sont fermés à la circulation d'hiver.

galendard: godendard, scie utilisée pour le gros bois, semblable à un passe-partout.

galettage: biscuits, galettes.

galipote: courir la galipote, se dévergonder, commettre l'adultère.

galpetter: calfeutrer.

galoper: chevaucher.

gambader: tituber.

game: partie, watcher la game, surveiller ce qui se passe (empr. de l'ang.).

game (être): être capable, être brave.

gang saw: scies verticales multiples (empr. de l'ang.).

gargoton: gosier, gorge.

garrocher (se): se projetter, se jeter.

gaspille: gaspillage.

gaspilleux: dépensier.

gazette: journal (empr. de l'ang.).

ginguer: batifoler, caramboler, s'amuser.

gingueux: qui gingue, qui rue, en parlant des animaux.

glèner: faire le glanage, ramasser le bois échoué et le remettre à l'eau.

godammer: donner (une gifle) (de l'ang., *goddammed*).

gosse: testicule.

grafigner: mis pour s'agripper.

graine: la graine (pénis) serrée, recroquevillée par la peur.

grainer: semer, ensemencer.

gratte: instrument d'entretien de voirie mue autrefois par un ou des chevaux.

gratter (les chemins): déblayer.

gravelle: gravier.

gréer: organiser.

gréer (se): s'habiller. Pour le temps, s'ennuager.

grelot: ensemble de petites cloches posées soit sur les brancards, soit sur le harnais, notamment sur la sellette.

griffer (se): se battre, s'empoigner, se colleter.

grill: bar, taverne (empr. de l'ang.).

grimper une bête: la saillir.

grimper (faire): au poker, rouler un joueur, le battre avec un jeu médiocre.

gripper: agripper, saisir.

grouiller: bouger, se mouvoir.

grub: manger, nourriture (empr. de l'ang.).

guesser: estimer, évaluer, deviner (de l'ang., *to guess*).

gueulasser: discuter, argumenter.

gueuse: pauvre, malheureuse.

guidoune: fille de joie, putain (de l'ang., *giddy young one*).

gun: fusil, arme en général (empr. de l'ang.).

H

habitant: cultivateur, agriculteur.

hâler (une touche): fumer.

harnois: harnais.

haute-heure: tard, tardivement.

head office: bureau-chef (empr. de l'ang.); siège social.

heat: manche, épreuve (empr. de l'ang.).

hood: capot (empr. de l'ang.).

hose: boyau d'arrosage (empr. de l'ang.).

hot-dog: « chien-chaud » (empr. de l'ang.).

houmard: homard.

husting: tréteau (empr. de l'ang.).

I

imbibé: pénétré (s'emploie même pour les odeurs).

itanies: litanies.

J

J-5: chenille pour hâler les billes.

jacasser: bavarder, pérorer.

jack: gars (*lumber jack*) (empr. de l'ang.).

jaguine: pour sanguine; gros crayon rouge.

jalouser: envier.

jam: embâcle, aussi affluence (empr. de l'ang.).

jarnigouène: intelligence.

jasette: causette.

Jersais: habitant de l'île de Jersey.

jetée déboulante: empilement considérable de bois dans un endroit à pic pour en faciliter la mise à l'eau.

229

jets: avions à réaction (empr. de l'ang.).

jeunesser: faire sa vie de jeune, sortir, avoir des aventures.

jeunesses: jeunes.

job: à la job, à forfait, à la pièce (empr. de l'ang.).

job (faire une): faire ses besoins, déféquer

jobber: contracter, entreprendre.

jobbeur: contracteur.

jobbeur (steak de): bologna, saucisson.

jockey: employé indifféremment pour les conducteurs sur *sulky* ou sur le plat (empr. de l'ang.).

jomper: déguerpir, quitter l'emploi sans avertir, filer (de l'ang., *to jump*).

jouquer (se): s'asseoir, se percher.

---

kicker: critiquer, protester (de l'ang., *to kick*).

kickeux: tire-au-flanc, protestataire.

Klondail: pour Klondike (Golconde, Colorado).

L

lavé: détruit.

lean-to: grande toile que l'on pose en appentis pour protéger les aliments, voire les gens, de la pluie (empr. de l'ang.).

ledger: livre de comptabilité.

limoner: importun.

limoneux: glissant.

lindenne: place où l'on empile le bois pour le flottage (de l'ang., *landing*).

lisse: patin de traîneau.

loader: chargeuse (à billes, à bois, etc.) (empr. de l'ang.).

loger: bâtir.

luck: chance (empr. de l'ang.).

lullaby: berceuse (empr. de l'ang.).

lumberjack: bûcheron (empr. de l'ang.).

M

magané: fatigué, mal en point.

makinaw: veste de lainage à carreaux.

mangeailler: manger sans entrain, picorer pour la poule.

manière de: espèce de, sorte de.

manquable ou manquablement: sans doute.

manqué: épuisé.

maquereau: licencieux: coureur de jupon.

marabout: impatient, coléreux, ombrageux.

marde: merde.

mardiller: marguillier.

margoulette: menton, gorge.

marie-go-ronde: carroussel de chevaux (de l'ang., *merry go round*).

marle: merle, gai luron.

marquer (faire): acheter à crédit.

masse: poing.

masse (en): beaucoup, en quantité suffisante, amplement.

masser: frapper avec une masse, battre.

matillon: maquignon.

mélange: confusion, mélangé (confus, perdu).

membré: musclé, gros.

menoire: brancard.

message: pour massage.

meule (de fromage): bloc rond de fromage en forme de roue.

miaule: miaulement.

mind you: remarquez bien! notez bien! (empr. de l'ang.).

minisse: ministre.

minouchage: caresses, mots doux, cajoleries.

mise: lanière.

mitaine: petite église anglaise (de l'ang., *house of meetings*).

mitaine (à la): manuellement.

mixe: pour mixte.

mixer: mélanger, se mêler (de l'ang., *to mix up*).

mixeur: malaxeur (empr. de l'ang. *to mix*).

molasse: mou, gélatineux.

mollière: trou mou, ornière.

monter (se): s'emporter, se fâcher, mais aussi se cabrer pour un cheval.

montereau: genre de chèvre (grue) pour hisser les billes sur le « voyage ».

mordée: morsure.

morfondu: exténué.

morniffe: taloche.

motte: pas un mot, motus.

motton, le poignon, avoir le motton, une grosse somme.

moutonne: dépotoir (expression consacrée dans les chantiers forestiers).

mouver: déménager, se déplacer (de l'ang., *to move*).

muffler: le silencieux d'une automobile (empr. de l'ang.).

N

natcher: entailler (de l'ang., *notch*: entaille).

navot: navet.

nâvrer: étouffer.

neillère: stérile, on dit aussi à neillère.

net: filet (empr. de l'ang.).

netter: prendre au filet (de l'ang., *to net*).

néyer: noyer.

nique: nid.

O

ordilleux: orgueilleux.
oripaux: oreillons.
ostiner: contredire.
ostiner (s'): s'entêter ou discuter.

ôtée (table): dégarnie.
ousse que: où.
overun : plus-value (empr. de l'ang.).

P

packsack : sac à dos, havresac (empr. de l'ang. *packsack*).
paffe: plein, empiffré ou saoul.
pagée: les clôtures étant faites de billes de cèdres appuyées les unes sur les autres en claire-voie, on appelait pagée une section de la clôture ainsi faite.
painkiller: remède (empr. de l'ang.).
palette: « poignon », argent.
pancake: gaufre (empr. de l'ang., *pancake*).
panse: abdomen.
panse de vache: monticule mou et humide, occasionné par le dégel.
panser (se): se gaver, s'empiffrer.
pantoute: du tout.
paqueté: plein; aussi: ivre.
paqueter: emplir.
parer: préparer; es-tu paré? es-tu prêt?
parlement: assemblée politique.
parquer (un char): stationner une voiture.
partager: pour portager, mais employé davantage pour le transport des marchandises depuis les magasins jusqu'aux chantiers, que ce soit par chevaux ou par camions.
party: fête (empr. de l'ang.).
passée: période, une bonne ou une mauvaise période.

passer: prêter.
patenter: organiser, arranger, monter, improviser.
patte: main.
payroll: bordereau de paie (empr. de l'ang.).
peanut: arachide (empr. de l'ang.).
peau de crapeau: piastre, argent de papier.
peddler: vendeur, représentant de commerce (empr. de l'ang.).
penture (faire): plier en deux.
perre: pis de vache; se refaire un perre: se remplumer.
peste: puanteur.
peurs: histoires, contes.
philomène: phénomène.
piaffeux: piaffeur.
piasse: piastre, dollar.
picaroune: picois, courte gaffe en forme de pic et à manche de hache, utilisée dans les opérations forestières.
picasse: haridelle, rossinante, cheval décharné.
piétonner: déformation de piétiner, accorder avec les pieds.
piger: trier.
piler: marcher sur.
pileux: empileur.
pinage: semonce, engueulade.
piquer: pousser le bois à l'aide d'une gaffe.

232

piste: trace, abatures de gibier sauvage.

pitcher (tente): monter, dresser une tente (de l'ang., *to pitch*).

piton: rossinante, haridelle.

piton: bon échangeable en nature ou en argent.

pitoune: pulpe.

place: gens de la place, du village, de l'endroit.

placoter: jaser, calomnier, médire.

planche: plat, uni.

planter (se): faire son possible, se surpasser.

plate: plaque de fer (empr. de l'ang.).

plein (à): en quantité, beaucoup.

pleine: enceinte.

pleine écart (à): plein son lit (rivière).

pleumer: plumer.

plug: tablette de tabac à chiquer (empr. de l'ang.).

poacher: braconnier (empr. de l'ang.).

poche (prendre sa): s'en aller, être congédié.

pod: coussin (empr. de l'ang.).

pole: perche, balancier, employé aussi pour gaffe.

pole (cheval de la): cheval qui a tiré la première position au départ, le premier longeant la clôture, donc à l'intérieur de la piste (empr. de l'ang.).

pool: trou d'eau, fosse, endroit où l'eau est beaucoup plus profonde et plus calme et où le saumon se tient généralement dans les rivières (empr. de l'ang.).

porte-crotte: partie d'attelage.

portrait: photo ou visage.

poulailler: jubé.

pourcie: gros mollusque, type d'oursin; se dit d'une personne très grasse.

poutine: pour pouding (de l'ang., *pudding*).

prélat: prélart.

presses: balles de foin pressé.

prestone: antigel (marque de commerce).

prime: explosif, prompt, rapide (de l'ang., *to prime*).

primé: monté (de l'ang., *to prime*).

profiter: grossir, grandir.

puck: rondelle, palet (empr. de l'ang.).

punck: jeune, gosse (empr. de l'ang. pop. *punk*).

purésie: pleurésie.

putty: mastic (empr. de l'ang.).

Q

quart: baril pesant environ 350 livres lorsqu'il est plein de lard salé.

quêteux: mendiant.

quitter (faire): laisser.

quossé: qu'est-ce que?

R

raboudiné : rabougri.

rack : cintre, gabarit (empr. de l'ang.).

racké : brisé (déformation de l'ang. *wreck*).

radouer : pour radouber, réparer.

rafaler : souffler par rafales.

ramasse : raclée.

ramée : volée, grande quantité.

rapace : une engeance ; se dit des voleurs, bandits et ivrognes.

ratelle : miche.

ratoureux : matois, rusé, finaud.

recevant : hospitalier.

record : disque, long jeu (empr. de l'ang.).

réglée : menstruée.

regoddammé : rejeter (de l'ang., *god-damned*).

relever : guérir, se remettre d'une maladie.

remettre : vomir, aussi reconnaître, remettre quelqu'un.

renfermer quelqu'un : le mettre à l'asile, l'interner, le faire emprisonner.

renipper : se faire une toilette.

renvaler : ravaler (ses larmes par exemple).

réquisition : commande pour fourniture.

ressoudre : arriver ou sortir, arriver à l'improviste.

respire : respiration, soufle.

respir (le) : le souffle.

restants : restes.

reste (à tout) : à tout prix.

restituer : vomir.

resuage : condensation.

retrousser : relever.

réussi : succès, réussite.

revenger : prendre sa revanche.

ricanages : ricanements.

ride : promenade, glissade (empr. de l'ang.).

ridge : crête, pente (empr. de l'ang.).

rigging : attirail, organisation, équipement (empr. de l'ang.).

right through : d'un bout à l'autre ; ou : tout de suite (empr. de l'ang.).

rigole : canal, sillon.

rince : de rincée, volée.

rinquié : rein.

roll de vie : mode de vie, habitudes.

rouloués ou roules : billes de bois (employé seulement pour les billots, non pour la pulpe).

rubber : caoutchouc (empr. de l'ang.).

run : opérations (durée des opérations) (empr. de l'ang.).

runné : marché, opéré, mené, conduit, dirigé (de l'ang., *to run*).

runner : conduire, mener, diriger, commander (de l'ang., *to run*).

S

sacrage : habitude de sacrer, de jurer.

sacre : juron.

sacrer le camp : déguerpir, se sauver.

safe: sûr, également coffre-fort (empr. de l'ang.).

saint-michel: petit sapin.

salin: embrun de mer.

sammersette: saut périlleux (déformation de l'ang. *sommersault*).

sanctus: centuple.

sapinage: petits résineux.

satchel: portemanteau, valise (empr. de l'ang.).

saucer (se): se tremper, tomber à l'eau, plonger.

Sauvage: Amérindien.

sauvages: quand un béné naissait et que les enfants demandaient d'où il venait, on disait: c'est les Sauvages qui l'ont apporté. D'où l'expression les Sauvages sont passés.

sauver (le bois): récupérer le bois.

saw (buck): *bucksaw,* scie à guidon métallique recourbé employée pour la coupe des billes (enpr. de l'ang.).

sawest: suroît (empr. de l'ang., *south-west*).

savanneux: de savanne: terrain bas, humide.

scale: mesure (empr. de l'ang.).

scale-bill: billet du mesureur indiquant la quantité de bois coupé (empr. de l'ang.).

scaleur: mesureur (de l'ang., *scaler*).

scie à chaîne: scie mécanique.

scier: tourner le fer dans la plaie, rappeler un événement malheureux à quelqu'un, agacer.

sciotte: scie à bois communément appelé scie de saint-Joseph.

secousse: bout de temps.

seiner: passer une seine, mais aussi quémander, emprunter; seiner un gars, le taper.

seineux: quémandeur, importun.

se sacrer de: ne pas craindre, ou s'en moquer.

set **callé**: danse carrée (de l'ang., *set*: quadrille, *to call*: appeler).

set **de camps**: groupe de camps (de l'ang., *set*: ensemble).

settlage: ajustement (de l'ang., *to settle*).

settler: régler, payer (paiement final) (de l'ang. *to settle*).

shack: camp délabré (empr. de l'ang.).

shaker: secouer, trembler, branler (de l'ang., *to shake*).

shampoo: *shampoing* (empr. de l'ang.).

shaper: donner une forme (de l'ang., *to shape up*).

shaper (se): prendre forme, se développer (de l'ang., *to shape up*).

shaver (se): se raser, se faire la barbe (de l'ang., *to shave*).

shed: remise (empr. de l'ang.).

shed **(en)**: en appentis.

shiner: briller, reluire (de l'ang., *to shine*).

shoeclaque: espadrille (de l'ang., *shoe*: chaussure).

shop: usine (empr. de l'ang.).

shot: un coup, un bon coup, une histoire drôle (empr. de l'ang.).

shot: aventure, anecdote (empr. de l'ang.).

show: spectacle (empr. de l'ang.).

showboy: aide-cuisinier (déformation de l'ang., *shore-boy*).

siau: seau.

sink: évier, par analogie gosier ou gorge (empr. de l'ang.).

six-pâtes: cipaille.

skid: pièce de bois pour faire glisser le bois (empr. de l'ang.).

skidder : traîner les billes à terre ou sur la neige au moyen d'une chaine fixée au bacul (de l'ang., *to skid*).

slab : bois scié sur lequel l'écorce n'a pas été enlevée (empr. de l'ang.).

slaque (sans) : sans arrêt; un câble slaque : un câble mou (de l'ang., *slcak*).

slaquer : cesser, ralentir, retarder.

sleeping bag : sac de couchag (empr. de l'ang.).

slip : table de triage de bois (empr. de l'ang.).

slouce (sluce) : espèce de glissoir pour projeter le bois à l'eau à partir d'une montagne (de l'ang. sluice).

sloucer : vanne, écluse (déformation de l'ang. *sluice*).

slow : lent (empr. de l'ang.).

smart : fin finaud, alerte, intelligent (empr. de l'ang.).

snack : repas plantureux (empr. de l'ang.).

sniker : reluquer, observer à la sauvette (de l'ang. *to sneek*).

snobber : stopper, arrêter brutalement (peut-être une déformation de to stop?).

snowmobile : **auto-neige (empr. de l'ang.).**

soigner : nourrir, donner à manger à un animal.

some : *some* lion! tout un lion! (empr. de l'ang.).

souffle (avoir le) : avoir la pousse, être poussif.

souleur : peur.

souris chaude : chauve-souris.

spare (de) : en plus, extra (empr. de l'ang.).

speed : c'était mon *speed,* à mon goût, mon préféré (empr. de l'ang.).

spôrt : sportif (ordinairement pour un riche Américain).

spot : endroit (empr. de l'ang.).

spotter : Police provinciale de la route dont le véhicule était alors la motocyclette, parfois le *side-car* (de l'ang., *to spot*).

squeaser : serrer, contraindre (de l'ang., *to squeeze*).

start (faux) : faux départ (aux courses).

starteur : démarreur, *starter* (de l'ang., *to start*).

station : gare de chemin de fer (empr. de l'ang.).

steady : sans cesse (empr. de l'ang.), *steady pull* : sans arrêt, sans cesse, sans relâche (empr. de l'ang.).

step : pas, pas de danse, saut (empr. de l'ang.).

stomper : garçon de peine (de l'ang., *to stump*).

straight : droit, au physique comme au moral, aux cartes : une quinte (empr. de l'ang.).

strap : courroie (empr. de l'ang.).

strapper : enserrer, attacher avec des courroies (de l'ang., *to strap*).

strip : effeuiller, peler (de l'ang., *to strip*).

stuff : matériel, chose (empr. de l'ang.).

suce : bouche, gueule.

suit : habit (empr. de l'ang.).

sure bet : à coup sûr (empr. de l'ang.).

sweater : gilet de laine (empr. de l'ang.).

sweeper : nettoyer (de l'ang., *to sweep*).

swell : élégant, bien mis (empr. de l'ang.).

swinger: projeter, lancer, balancer (de l'ang., *to swing*).

swinger la baquaise: danser (de l'ang., *to swing*).

swomp: marécages (déformation de l'ang., *swamp*).

swompeux: marais, marécageux (de l'ang. *swamp*).

symonisé: ciré (déformation d'une marque de commerce).

T

taillant: le tranchant.

talle: tas, amoncellement.

tank: citerne (empr. de l'ang.).

tannant: fatigant, agaçant.

taponnage: tergiversation.

taponné: pris, bâti.

taponner: tergiverser; ou peloter pour une fille, tâter, manipuler.

tarne: terne.

tasserie: endroit d'une grange où l'on tasse le foin, la paille, etc.

tarvia: mélange de coaltar et de gravier.

tenir: contenir, supporter.

thépot: théière (de l'ang.: *tea pot*).

thermostat: thermomètre.

thune: monnaie, argent sonnant.

timber jack: machine mobile pour la coupe du bois (empr. de l'ang.).

time: attelage de deux chevaux (de l'ang., *teams*).

tip: pourboire, tipper, donner un pourboire (empr. de l'ang.).

tirailler: argumenter.

tirer à la jambette: les participants se couchent l'un près de l'autre, tête aux pieds, projettent la jambe en l'air et s'efforcent de retourner l'autre.

tirer au renard: les participants se mettent à quatre pattes, l'un devant l'autre, on leur passe autour de la tête une courroie, ceinture ou écharpe et ils tirent chacun de leur côté. Genre de souque à la corde.

tison: ici employé à la place d'escarbille.

toasts: rôties (empr. de l'ang.).

toffe: dur, rude (déformation de l'ang., *tough*).

toffer: endurer, durer, rester jusqu'à la fin.

token: argent (empr. de l'ang.).

tombeaux-là: tombolas.

tombereau: charrette.

tooth pick: cure-dent (empr. de l'ang.).

toppe: toupie (de l'ang., *top*).

topper: couper au petit bout, ou charger le dessus d'un voyage (de l'ang., top).

toqué: entêté, têtu.

toquer: cogner, buter, frapper avec sa tête.

tourisse: touriste, ou tourisme.

tourmenter: harasser.

trafic: circulation.

trail: sentier, chemin.

train (faire le): soin des animaux, les nourrir, nettoyer l'écurie, etc.

traiter de: traiter quelqu'un de, l'affubler de.

trappe: chasse à la trappe.
travaillant: travailleur (substantif), ouvrier, bon travaillant, travailleur efficace.
trente-sous: vingt-cinq cents.
triomphe: parade pour fêter une victoire, acclamation.
trotteurs: chevaux de course, employé indifféremment pour les trotteurs et ambleurs.

troublé: fou, cinglé.
troubler: devenir fou.
troubles: ennuis.
truie: poêle rustique fait à même un baril à pétrole.
turlutter: chanter des tyroliennes.
twitcher: traîner (de l'ang., to *twitch*).

U

un: employé souvent sans l'accorder (ex.: un affaire) et se prononce in.
unanime: anonyme.
un emportant l'autre: en comparaison, le pour et le contre.

unions: syndicats ouvriers.
upside down: à l'envers, tête en bas (empr. de l'ang.).

V

vacarne: vacarme.
vanne: achat fait au magasin des chantiers forestiers, consistant notamment en tabac et vêtements. L'ensemble des choses achetées au cours du mois.
vans: remorques (empr. de l'ang.).
vanteux: vantard.
varger: déformation de verge, donner de la verge, battre.
vargeux: pas vargeux: pas fameux.
vents (lâcher ses): s'énerver, se défouler.
vesse: veste; aussi gaz intestinal.
vieux pays: Europe.
vinassé: couleur de vin.

virant (en): en tournant.
virebroquin: vilebrequin.
virer: tourner.
virer (se): s'égarer, se tromper de chemin.
virer à l'envers: renverser, mettre sens dessus dessous.
virer une baloune: s'enivrer.
vivocher: synonyme de vivoter, vivre petitement.
volant: guidon, roue, commander.
voiture traînante: sleigh, carriole, traîneau, etc.
voteux: voteur, électeur.
voyeuse: voyante.

W

wagine: wagon, voiture à quatre roues.

walker (**grand**): surintendant (dans les chantiers forestiers le surintendant devait marcher sur de longues distances, d'où: le grand marcheur) (empr. de l'ang.).

warehouse: entrepôt pour les marchandises d'un magasin ou d'une usine (empr. de l'ang.).

watcher: surveiller (de l'ang., *to watch*).

whole shebang: toute la bande, le tout (empr. de l'ang.).

wincher: tirer à l'aide d'un treuil (de l'ang., *winch*).

wrack: panne, accident, désastre (de l'ang., *wreck*).

wrack (**en**): en panne (de l'ang., *wreck*).

Z

zigonner: insister.
zipper: fermeture éclair (de l'ang., *to zip*).

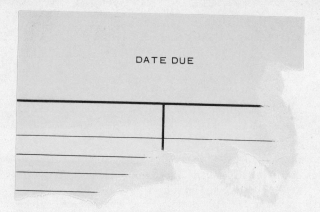

DATE DUE

ACHEVÉ D'IMPRIMER SUR
LES PRESSES DES ATELIERS
MARQUIS DE MONTMAGNY
LE 26 NOVEMBRE 1976 POUR
LES ÉDITIONS LEMÉAC INC.